O VEREDICTO
E
NA COLÔNIA PENAL

Obras de Franz Kafka:

Descrição de uma luta (1904)
Preparativos para um casamento no campo (1907)
Contemplação (1912)
O desaparecido (ex America) (1912)
O foguista (1912)
O veredicto (1912)
A metamorfose (1912)
O processo (1914)
Na colônia penal (1914)
Narrativas do espólio [coletânea elaborada por Modesto Carone] (1914-24)
Carta ao pai (1919)
Um médico rural (1919)
O castelo (1922)
Um artista da fome (1922-24)
A construção (1923)

A Companhia das Letras iniciou, em 1997, a publicação das obras completas de Franz Kafka, com tradução de Modesto Carone.

FRANZ KAFKA

O VEREDICTO
E
NA COLÔNIA PENAL

Tradução e posfácio:
MODESTO CARONE

13ª reimpressão

COMPANHIA DAS LETRAS

Copyright tradução, posfácio e notas © 1988, 1998
by Modesto Carone

Título original:
Das Urteil / In der Strafkolonie

Capa:
Hélio de Almeida
sobre desenho de
Amilcar de Castro

Preparação:
Cristina Penz

Revisão:
Ana Maria Barbosa
Carmen S. da Costa

Atualização ortográfica:
Marise Leal

Dados Internacionais de Catalogação na Publicação (CIP)
(Câmara Brasileira do Livro, SP, Brasil)

Kafka, Franz, 1883-1924.
    O veredicto e Na colônia penal / Franz Kafka ; tradução, posfácio e notas Modesto Carone. — São Paulo : Companhia das Letras, 1998.

    Título original: Das Urteil / In der Strafkolonie.
    ISBN 978-85-7164-806-7

    1. Romance alemão I. Título.

98-3127   CDD-833.91

Índices para catálogo sistemático:
1. Romances : Século 20 : Literatura alemã 833.91
2. Século 20 : Romances : Literatura alemã 833.91

2020

Todos os direitos desta edição reservados à
EDITORA SCHWARCZ S.A.
Rua Bandeira Paulista, 702, cj. 32
04532-002 — São Paulo — SP
Telefone: (11) 3707-3500
www.companhiadasletras.com.br
www.blogdacompanhia.com.br
facebook.com/companhiadasletras
instagram.com/companhiadasletras
twitter.com/cialetras

ÍNDICE

O veredicto 7
Na colônia penal 27

Posfácio, Modesto Carone 71

O VEREDICTO

Uma história para
a senhorita Felice B

Era uma manhã de domingo no auge da primavera. Georg Bendemann, um jovem comerciante, estava sentado no seu quarto, no primeiro andar de um dos prédios baixos, de construção leve, que se estendiam em longa fila ao longo do rio, diferentes um do outro quase só na altura e na cor. Tinha justamente acabado de escrever uma carta a um amigo que se achava no estrangeiro, fechou-a com uma lentidão lúdica e depois, o cotovelo apoiado sobre a escrivaninha, olhou da janela para o rio, para a ponte e para as colinas da outra margem, com o seu verde sem vigor.

Ficou pensando como esse amigo, insatisfeito com suas perspectivas na própria terra, já fazia anos havia literalmente se refugiado na Rússia. Tinha agora uma casa comercial em São Petersburgo, que a princípio havia caminhado muito bem, mas que parecia há muito ter estacionado, conforme se queixava o amigo nas suas visitas cada vez mais raras. Assim é que ele se desgastava inutilmente no estrangeiro: a exótica barba cheia ocultava mal o rosto tão conhecido desde os anos de infância e a cor amarela da pele parecia apontar para uma moléstia em evolução. Como ele contava, lá não mantinha nenhuma ligação autêntica com a colônia dos seus conterrâneos e quase nenhum contato social com as famílias do lugar, de maneira que se encaminhava definitivamente para a vida de solteiro.

O que se devia escrever a um homem assim, que evidentemente tinha saído fora dos trilhos e a quem se podia lastimar mas não prestar auxílio? Devia-se talvez aconselhá-lo a voltar de novo para casa, a transferir para cá sua existência, a retomar as velhas relações de amizade — para o que certamente não havia obstáculo algum — e no mais confiar na ajuda dos amigos? Mas isso não significava outra coisa senão estar ao mesmo tempo lhe dizendo, de uma maneira tanto mais ofensiva quanto maior a consideração, que suas tentativas até agora tinham malogrado, que ele devia finalmente desistir delas, regressar e permitir que todos o olhassem com espanto como a alguém para sempre de volta, que só os seus amigos sabiam um pouco das coisas e que ele era uma criança crescida, pura e simplesmente necessitada de seguir os companheiros bem-sucedidos que haviam permanecido em casa. E além do mais, era mesmo certo que todo esse transtorno, que seria preciso infligir a ele, tivesse um sentido? Talvez não se conseguisse nem ao menos trazê-lo de volta — ele mesmo afirmou que não entendia mais as condições vigentes no seu país — e desse modo, a despeito de tudo, talvez continuasse na terra estranha, amargurado com os conselhos e um pouco mais distanciado dos amigos. Se ele porém seguisse de fato o conselho e — naturalmente sem essa intenção, mas em virtude dos fatos — fosse esmagado, não se encontrasse nos seus amigos nem sem eles, sofresse com o vexame, de fato então não possuísse lar ou amigos, nesse caso não teria sido muito melhor para ele ficar no estrangeiro, do modo como estava? Era possível, em tais circunstâncias, pensar que aqui ele iria efetivamente levar as coisas avante?

Por essas razões, mesmo que se quisesse manter a ligação por correspondência, não se podia na verdade transmitir a ele nenhuma comunicação real, como se faria sem temor até aos conhecidos mais distantes. O amigo já não vinha ao país fazia mais de três anos e explicava muito precariamente esse fato pela incerteza da situação política na Rússia, que não permitiria nem mesmo a mais breve ausência de um pequeno comerciante, ao passo que centenas de milhares de russos circulavam tranquilamente pelo mundo. Para Georg, entretanto, muita coisa havia mudado no curso desses três anos. Sobre a morte da mãe de Georg, que havia ocorrido dois anos antes, e depois da qual ele passara a viver em comum com o velho pai na mesma casa, o amigo naturalmente tinha recebido notícia e manifestado o seu pesar numa carta de tamanha secura, que o motivo só podia ser que no estrangeiro o luto por um acontecimento dessa natureza é inteiramente inconcebível. Mas desde aquela época Georg havia assumido com maior determinação o negócio, bem como tudo o mais. Talvez o pai, enquanto a mãe era viva, por querer fazer valer só o seu próprio ponto de vista na firma, o tivesse impedido de exercer uma atividade pessoal efetiva; talvez o pai, desde a morte da mãe, embora ainda continuasse trabalhando no estabelecimento, tivesse ficado mais retraído; talvez — o que era até muito provável — acasos felizes houvessem desempenhado um papel muito mais importante; fosse como fosse, porém, nesses dois anos a firma tinha se desenvolvido de um modo totalmente inesperado, fora preciso dobrar o pessoal, o movimento havia quintuplicado e sem dúvida se estava na iminência de um novo avanço. Mas o amigo não fazia ideia dessa mudança. Anteriormente — talvez pela última vez naquela carta de pêsames — tinha querido convencer Georg a emigrar para a Rússia, estendendo-se sobre as perspectivas que existiam em São Petersburgo justamente para o ramo comercial de Georg. As cifras desapareciam diante do volume que os negócios de Georg tinham alcançado. Mas este não havia sentido vontade alguma de escrever ao amigo sobre seus êxitos comerciais, e caso o tivesse feito agora, em retrospecto, isso realmente teria adquirido uma aparência estranha.

Assim sendo, Georg se limitava sempre a escrever ao amigo só sobre incidentes insignificantes, da maneira como estes se acumulam desordenadamente na lembrança, quando se reflete sobre eles num domingo tranquilo. Ele não pretendia senão deixar inalterada a imagem que o amigo, no decorrer do longo intervalo, tinha feito da cidade natal e à qual se havia conformado. Aconteceu assim que Georg, em cartas bem distantes uma da outra, anunciou por três vezes o noivado de uma pessoa sem importância com uma moça igualmente sem importância, até que o amigo, na realidade contra as intenções de Georg, começou a se interessar por essa ocorrência notável.

Mas Georg preferia escrever-lhe sobre coisas como essa a admitir que ele próprio tinha ficado noivo, um mês atrás, da senhorita Frieda Brandenfeld, uma jovem de família bem situada. Muitas vezes conversou com a noiva sobre esse amigo e a situação peculiar da correspondência que mantinha com ele.

— Então ele não virá de modo algum para o nosso casamento — dizia ela. — E eu tenho o direito de conhecer todos os seus amigos.

— Não quero perturbá-lo — respondia Georg. — Entenda bem, é provável que ele viesse, pelo menos é o que acredito; mas iria se sentir forçado e prejudicado, talvez ficasse com inveja de mim; e certamente insatisfeito e incapaz de pôr de lado essa insatisfação, regressaria sozinho. Sozinho — você sabe o que é isso?

— Sim, eu sei, mas ele não pode ficar sabendo do nosso casamento de outra maneira?

— Seja como for, isso eu não posso evitar; mas vivendo como vive, é improvável.

— Se você tem amigos assim, Georg, não devia ter ficado noivo.

— Bem, a culpa é de nós dois; mas mesmo agora eu não queria que as coisas fossem diferentes.

E quando ela, então, respirando rápido sob seus beijos, ainda argumentava: "na verdade isso me ofende", ele achou que realmente não era embaraçoso escrever tudo ao amigo.

"Eu sou assim e é assim que ele tem de me aceitar", disse consigo. "Não posso talhar em mim mesmo uma pessoa que talvez fosse mais ajustada à amizade com ele do que eu sou."

E de fato, na longa carta que escreveu nessa manhã de domingo, relatou ao amigo a realização do noivado com as seguintes palavras: "A melhor novidade eu guardei para o fim. Fiquei noivo da senhorita Frieda Brandenfeld, uma jovem da família bem-posta que só se estabeleceu aqui tempos depois da sua partida e que portanto você dificilmente poderia ter conhecido. Ainda haverá ocasião para lhe contar mais sobre a minha noiva, basta hoje que lhe diga que estou muito feliz e que nossa atual relação só mudou alguma coisa na medida em que agora você terá em mim, ao invés de um amigo comum, um amigo feliz. Além disso você ganha, com a minha noiva, que manda saudá-lo cordialmente, e que em breve vai escrever pessoalmente a você, uma amiga sincera, o que não é sem importância para um solteiro. Sei que muita coisa o impede de nos visitar, mas não seria justamente o meu casamento a oportunidade certa para afastar os obstáculos? Seja como for, porém, aja sem qualquer escrúpulo e segundo o que achar melhor".

Com essa carta na mão Georg ficou longo tempo sentado à escrivaninha, o rosto voltado para a janela. Mal respondeu, com um sorriso ausente, a um conhecido que, passando pela rua, o cumprimentara.

Finalmente enfiou a carta no bolso e, do seu quarto, atravessando um pequeno corredor escuro, entrou no quarto do pai, ao qual não ia já fazia meses. De resto não havia necessidade disso, pois sempre encontrava o pai na loja e almoçavam juntos num restaurante; à noite, efetivamente, cada um cuidava de si a seu critério, mas na maioria das vezes, quando Georg não estava com os amigos ou visitava a noiva, o que acontecia com mais frequência, ficavam sentados ainda um pouco na sala de estar comum, cada qual com o seu jornal.

Surpreendeu Georg como estava escuro o quarto do pai mesmo nessa manhã ensolarada. A sombra era pois lançada pelo muro alto que se erguia do outro lado do estreito pátio. O pai estava sentado junto à janela, num canto enfeitado com várias lembranças da finada mãe, e lia o jornal segurando-o de lado para compensar alguma deficiência da vista. Sobre a mesa jaziam os restos do café da manhã, do qual não parecia ter sido consumida muita coisa.

— Ah, Georg! — disse o pai e caminhou ao seu encontro.

Seu roupão pesado se abriu quando andava e as pontas esvoaçaram em volta dele. "Meu pai continua sendo um gigante", pensou Georg consigo.

— Aqui está insuportavelmente escuro — disse depois.

— É verdade, está escuro — respondeu o pai.

— Você fechou também a janela?

— Prefiro assim.

— Fora está fazendo bastante calor — disse Georg como um acréscimo ao que havia dito antes e sentou-se.

O pai retirou a louça do café e colocou-a em cima de uma cômoda.

— Na realidade eu só queria dizer a você — continuou Georg, acompanhando completamente absorto os movimentos do velho — que acabo de anunciar a São Petersburgo o meu noivado.

Puxou um pouco a carta de dentro do bolso e deixou-a cair outra vez.

— Como assim, a São Petersburgo? — perguntou o pai.

— Ao meu amigo, é claro — disse Georg buscando os olhos do pai.

"Na loja ele é totalmente diferente do que é aqui, sentado com todo o peso do corpo e os braços cruzados sobre o peito", pensou.

— Ah, sim, ao seu amigo — disse o pai com ênfase.

— Você sabe muito bem, pai, que a princípio eu quis ocultar o meu noivado dele. Por consideração, por nenhum outro motivo. Você mesmo sabe que ele é uma pessoa difícil. Eu disse cá comigo: ele pode ter notícia do meu noivado através de terceiros, embora seja pouco provável com o tipo de vida solitária que leva — isso eu não posso evitar —, mas por mim é que ele não deve ficar sabendo.

— E agora você mudou de opinião? — perguntou o pai, pôs o amplo jornal sobre o parapeito da janela e sobre os óculos, que cobriu com a mão.

— É, agora mudei de opinião. Se ele é um bom amigo, pensei comigo, então um noivado que me faz feliz é também uma felicidade para ele. Por isso não hesitei mais em anunciá-lo. Antes porém de remeter a carta, queria dizer isso a você.

— Georg — disse o pai esticando para os lados a boca desdentada —, ouça bem. Você veio a mim para se aconselhar comigo sobre esse assunto. Isso o honra, sem dúvida. Mas não é nada, é pior do que nada, se você agora não me disser toda a verdade. Não quero levantar questões que não cabem aqui. Desde a morte da nossa querida mãe aconteceram certas coisas que não são nada bonitas. Talvez chegue a hora de também discuti-las — e talvez ela chegue mais cedo do que pensamos. Na loja muita coisa foge ao meu controle, talvez não pelas minhas costas — não quero agora supor que seja pelas minhas costas —, não tenho mais força suficiente, minha memória começa a falhar, já não tenho visão para tudo isso. Em primeiro lugar, é o curso da natureza; em segundo, a morte da nossa mamãe me abateu muito mais do que a você. Mas já que estamos falando desse assunto, dessa carta, peço-lhe por favor, Georg, que não me engane. É uma ninharia, não vale nem um suspiro, por isso não me engane. Você realmente tem esse amigo em São Petersburgo?

Georg levantou-se, embaraçado.

— Vamos deixar de lado os amigos. Para mim mil amigos não substituiriam meu pai. Sabe o que eu acho? Você não se poupa o necessário. Mas a idade reclama os seus direitos. Você sabe muito bem que me é indispensável na loja, mas se for para ela ameaçar sua saúde, amanhã mesmo eu a fecho definitivamente. E isso não é possível. Portanto temos de encontrar um novo modo de vida para você. Radicalmente novo. Você fica sentado aqui no escuro, no entanto na sala de estar teria uma boa luz. Belisca o café da manhã ao invés de se alimentar direito. Senta-se junto à janela fechada quando o ar lhe faria tão bem. Não, pai! Vou chamar o médico e nós seguiremos as prescrições dele. Vamos trocar de quarto, você vai para o da frente, eu venho para este. Não significará nenhuma mudança para você, todas as suas coisas serão transportadas junto. Mas tudo isso tem tempo, deite-se agora mais um pouco na cama, você precisa de repouso sem falta. Venha, vou ajudá-lo a tirar a roupa, você vai ver como sei fazer isso. Ou quer ir já para o quarto da frente? Se é assim, deite-se por enquanto na minha cama. Aliás, seria uma coisa muito sensata.

Georg estava em pé bem ao lado do pai, que tinha deixado pender sobre o peito a cabeça de cabelos brancos e desgrenhados.

— Georg — disse o pai em voz baixa, sem se mover.

Georg ajoelhou-se imediatamente ao seu lado, viu nos cantos dos olhos do rosto cansado do pai as pupilas dilatadas se voltarem para ele.

— Você não tem nenhum amigo em São Petersburgo. Você sempre foi um trapaceiro e não se conteve nem mesmo diante de mim. Como iria ter justamente lá um amigo? Não posso de maneira alguma acreditar nisso.

— Pense outra vez, pai — disse Georg, erguendo o velho da cadeira e lhe tirando o roupão, enquanto o pai ficava em pé numa posição frágil. — Agora vai fazer três anos que o meu amigo nos fez uma visita. Ainda me lembro que você não simpatizou muito com ele. Pelo menos duas vezes omiti de você a sua presença, embora ele estivesse sentado logo ali no meu quarto. Eu podia compreender perfeitamente sua aversão por ele: meu amigo tem muitas idiossincrasias. Mas depois você sem dúvida se entendeu bem com ele. Na ocasião fiquei muito orgulhoso porque você lhe deu atenção, assentiu com a cabeça e lhe fez perguntas. Se pensar um pouco, logo vai se lembrar. Daquela vez ele contou histórias incríveis sobre a revolução russa. Como por exemplo ter visto, numa viagem de negócios, durante um tumulto em Kiev, um padre que, no alto de uma sacada, havia cortado na palma da mão uma grande cruz de sangue, levantando-a enquanto conclamava a multidão. Você mesmo contou aqui e ali essa história para outras pessoas.

Nesse meio tempo Georg tinha conseguido fazer o pai se sentar outra vez, despindo com cuidado a calça de malha que ele vestia sobre as ceroulas de linho, bem como as meias. Ao ver que a roupa de baixo não estava muito limpa, censurou-se por ter descuidado do pai. Teria sido sem dúvida seu dever zelar pela troca dessa roupa. Ainda não havia conversado expressamente com a noiva sobre a maneira como pretendiam organizar o futuro do velho, pois tinham admitido de forma tácita que ele iria ficar sozinho na antiga casa. Nesse momento porém ele decidiu, rápido e com toda firmeza, levá-lo para sua futura residência. Num exame mais atento, quase parecia que o tratamento a ser lá dispensado ao pai poderia estar vindo tarde demais.

Carregou nos braços o velho para a cama. Teve um sentimento terrível quando, ao dar uns poucos passos até lá, notou que o pai estava brincando com a corrente do seu relógio. Não conseguiu colocá-lo logo na cama, tão firme ele se agarrava à corrente.

Mas mal o pai ficou na cama tudo pareceu estar bem. Ele mesmo se cobriu e depois puxou o cobertor bem acima dos ombros. Ergueu os olhos para Georg de um modo não inamistoso.

— Você já se lembra dele, não é verdade? — perguntou Georg enquanto lhe fazia um aceno de estímulo com a cabeça.

— Estou bem coberto agora? — perguntou o pai, como se não pudesse verificar se os pés estavam suficientemente protegidos.

— Então você já se sente bem na cama — disse Georg, estendendo melhor as cobertas sobre ele.

— Estou bem coberto? — perguntou o pai outra vez; parecia estar particularmente atento à resposta.

— Fique tranquilo, você está bem coberto.

— Não! — bradou o pai de tal forma que a resposta colidiu com a pergunta, atirou fora a coberta com tamanha força que por um instante ela ficou completamente estirada no voo e pôs-se em pé na cama, apoiando-se de leve só com uma mão no forro. — Você queria me cobrir, eu sei disso, meu frutinho, mas ainda não estou recoberto. E mesmo que seja a última força que tenho, ela é suficiente para você, demais para você. É claro que conheço o seu amigo. Ele seria um filho na medida do meu coração. Foi por isso que você o traiu todos esses anos. Por que outra razão? Você pensa que não chorei por ele? É por isso que você se fecha no seu escritório: ninguém deve incomodar, o chefe está ocupado — só para que possa escrever suas cartinhas mentirosas para a Rússia. Mas felizmente ninguém precisa ensinar o pai a ver o filho por dentro. E agora que você acredita tê-lo aos seus pés, tão submetido que é capaz de sentar em cima dele com o traseiro sem que ele se mova, o senhor meu filho se decidiu casar!

Georg levantou os olhos para a imagem aterrorizante do pai. O amigo de São Petersburgo, que de repente o pai conhecia tão bem, o comoveu como nunca antes. Viu-o perdido na vasta Rússia. Viu-o na porta da loja vazia e saqueada. Entre os escombros das prateleiras, das mercadorias destroçadas, dos tubos de gás caindo, ele ainda continuava em pé. Por que tinha precisado viajar para tão longe?

— Mas olhe para mim! — bradou o pai, e Georg, quase distraído, correu até a cama para registrar tudo, mas ficou parado no meio do caminho.

— Só porque ela levantou a saia — começou o pai em voz de falsete —, só porque a nojenta idiota levantou a saia — e para fazer a mímica suspendeu tão alto o camisolão, que dava para ver na parte superior da coxa a cicatriz dos seus anos de guerra —, só porque ela levantou a saia assim, assim e assim, você foi se achegando, e para que pudesse se satisfazer nela sem ser perturbado, você profanou a memória da sua mãe, traiu o amigo e enfiou seu pai na cama para que ele não se movesse. Mas ele pode ou não se mover?

E, sem se apoiar em nada, passou a esticar as pernas para a frente. Resplandecia de perspicácia.

Georg encolheu-se a um canto o mais possível distante do pai. Fazia já algum tempo tinha tomado a firme decisão de observar tudo de maneira absolutamente precisa, para não ser surpreendido num descaminho, seja por trás ou de cima para baixo. Lembrou-se nesse momento da decisão há muito esquecida e a esqueceu de novo, como um fio curto que se enfia pelo buraco de uma agulha.

— Mas o seu amigo não foi atraiçoado! — exclamou o pai, sublinhando a fala com o dedo indicador que se mexia de lá para cá. — Eu era o seu representante aqui no lugar.

— Comediante! — gritou Georg sem conseguir se conter, reconheceu logo o erro e, com os olhos arregalados, mordeu — só que tarde demais — a língua com tanta força que se dobrou de dor.

— Sim, sem dúvida interpretei uma comédia! Comédia! Boa palavra! Que outro consolo restava ao velho pai viúvo? Diga — e no instante da resposta seja ainda o meu filho vivo — o que me restava, neste meu quarto dos fundos, perseguido pelos empregados desleais, velho até os ossos? E o meu filho caminhava triunfante pelo mundo, fechava negócios que eu tinha preparado, dava cambalhotas de satisfação e passava diante do pai com o rosto circunspecto de um homem respeitável! Você acha que eu não o teria amado — eu, de quem você saiu?

"Agora vai se inclinar para a frente", pensou Georg. "Se ele caísse e rebentasse!" Essa palavra passou zunindo pela sua cabeça.

O pai se inclinou para a frente, mas não caiu. Uma vez que Georg não se aproximou como ele esperava, endireitou o corpo outra vez.

— Fique onde está, não preciso de você! Julga que ainda tem força para vir até aqui e que só não faz isso porque não quer. Cuidado para não se enganar! Continuo sendo de longe o mais forte. Sozinho eu talvez precisasse recuar, mas sua mãe me transmitiu a energia que tinha, liguei-me ao seu amigo de uma forma estupenda e tenho aqui no bolso a sua clientela!

"Até no camisolão ele tem bolsos!", disse Georg a si mesmo; achava que com essa observação podia tornar-lhe a vida impossível no mundo inteiro. Pensou assim só por um instante, pois continuava esquecendo tudo.

— Pendure-se na sua noiva e venha ao meu encontro! Vou varrê-la do seu lado, você não imagina como!

Georg fez caretas como se não acreditasse nisso. O pai simplesmente acenou com a cabeça, acentuando a verdade do que estava dizendo, em direção ao canto de Georg.

— Como você hoje me divertiu quando veio perguntar se devia escrever ao seu amigo sobre o noivado! Ele sabe de tudo, jovem estúpido, ele sabe de tudo! Eu escrevi a ele porque você se esqueceu de me tirar o material para escrever. É por isso que há anos ele não vem, ele sabe de tudo cem vezes mais do que você mesmo, amassa sem abrir as suas cartas na mão esquerda enquanto com a direita segura as minhas diante dos olhos para ler.

De entusiasmo, arremessou o braço sobre a cabeça.

— Ele sabe de tudo mil vezes melhor! — gritou.

— Dez mil vezes! — disse Georg para ridicularizar o pai, mas já na sua boca as palavras ganharam uma tonalidade mortalmente séria.

— Estava aguardando há anos que você viesse com essa pergunta. Você acha que eu me preocupava com qualquer outra coisa? Você acha que leio jornais? Olhe aí — e atirou na direção de Georg uma folha de jornal que de algum modo tinha sido carregada para a cama — um jornal velho, com um nome já completamente desconhecido de Georg.

— Quanto tempo você levou para amadurecer! Sua mãe precisou morrer, não pôde viver o dia da alegria, o amigo se arruinando na Rússia — três anos atrás ele já estava amarelo de jogar fora — e quanto a mim você está vendo como vão as coisas. É para isso que tem olhos!

— Então você ficou à minha espreita — bradou Georg.

Compassivamente disse o pai, de passagem:

— Provavelmente você queria dizer isso antes. Agora já não dá mais.

E em voz alta:

— Agora portanto você sabe o que existia além de você, até aqui sabia apenas de si mesmo! Na verdade você era uma criança inocente, mas mais verdadeiramente ainda você era uma pessoa diabólica! Por isso saiba agora: eu o condeno à morte por afogamento!

Georg sentiu-se expulso do quarto, levando ainda nos ouvidos o baque com que o pai, atrás dele, desabou sobre a cama. Na escadaria, sobre cujos degraus passou correndo como se fosse por cima de uma superfície oblíqua, atropelou a criada que se dispunha a subir para arrumar a casa pela manhã.

— Jesus! — exclamou ela, cobrindo o rosto com o avental, mas ele já tinha desaparecido. No portão do prédio deu um pulo, impelido sobre a pista da rua em direção à água. Já agarrava firme a amurada, como um faminto a comida. Saltou por cima dela como o excelente atleta que tinha sido nos anos de juventude para orgulho dos pais. Segurou-se ainda com as mãos que ficavam cada vez mais fracas, espiou por entre as grades da amurada um ônibus que iria abafar com facilidade o barulho da sua queda e exclamou em voz baixa:

— Queridos pais, eu sempre os amei — e se deixou cair.

Nesse momento o trânsito sobre a ponte era praticamente interminável.

NA COLÔNIA PENAL

— É um aparelho singular — disse o oficial ao explorador, percorrendo com um olhar até certo ponto de admiração o aparelho que ele no entanto conhecia bem.

O explorador parecia ter aceito só por polidez o convite do comandante, que o havia exortado a assistir à execução de um soldado por desobediência e insulto ao superior. Certamente o interesse pela execução não era muito grande nem na colônia penal. Pelo menos aqui no pequeno vale, profundo e arenoso, cercado de encostas nuas por todos os lados, estavam presentes, além do oficial e do explorador, apenas o condenado, uma pessoa de ar estúpido, boca larga, cabelo e rosto em desalinho, e um soldado que segurava a pesada corrente de onde partiam as correntes menores, com as quais o condenado estava agrilhoado pelos pulsos e cotovelos bem como pelo pescoço e que também se uniam umas às outras por cadeias de ligação. Aliás o condenado parecia de uma sujeição tão canina que a impressão que dava era a de que se poderia deixá-lo vaguear livremente pelas encostas, sendo preciso apenas que se assobiasse no começo da execução para que ele viesse.

O explorador tinha pouco interesse pelo aparelho e andava de um lado para outro por trás do condenado, com uma indiferença quase visível, enquanto o oficial providenciava os últimos preparativos, ora rastejando sob a máquina assentada fundo na terra, ora subindo uma escada para examinar as partes de cima. Eram trabalhos que na realidade poderiam ter sido deixados para um mecânico, mas o oficial os realizava com grande zelo, seja porque era um adepto especial do aparelho, seja porque não podia, por outras razões, confiar essa tarefa a mais ninguém.

— Agora está tudo pronto! — finalmente exclamou e desceu da escada.

Estava excepcionalmente esgotado, respirava de boca aberta e tinha enfiado à força dois delicados lenços de mulher sob a gola do uniforme.

— Esses uniformes são sem dúvida muito pesados para os trópicos — disse o explorador, ao invés de se informar sobre o aparelho, como o oficial havia esperado.

— É verdade — disse o oficial lavando as mãos encardidas de óleo e graxa num balde de água já à disposição. — Mas eles simbolizam a pátria e a pátria nós não podemos perder.

— Mas agora venha ver este aparelho — acrescentou logo em seguida, enxugando as mãos com uma toalha enquanto apontava para o aparelho. — Até este instante era necessário o trabalho das mãos, mas daqui para a frente ele funciona completamente sozinho.

O explorador assentiu com a cabeça e acompanhou o oficial. Este procurou se assegurar contra qualquer incidente e depois disse:

— Naturalmente surgem problemas; espero na verdade que hoje não apareça nenhum; mas de qualquer modo é preciso contar com eles. O aparelho deve ficar em funcionamento doze horas sem interrupção. Se no entanto houver problemas, eles serão muito pequenos e a solução será imediata.

— O senhor não quer se sentar? — perguntou por fim, puxou de uma pilha uma cadeira de palha e a ofereceu ao explorador.

Este não pôde recusar. Estava agora à beira de um fosso, sobre o qual lançou um olhar fugidio. Não era muito fundo. De um lado do fosso a terra escavada estava amontoada num talude, do outro ficava o aparelho.

— Não sei se o comandante já explicou o aparelho para o senhor — disse o oficial.

O explorador fez um movimento vago com a mão; o oficial não desejava nada melhor, pois agora ele próprio podia explicar o aparelho.

— Este aparelho — disse, segurando uma manivela sobre a qual se apoiou — é uma invenção do nosso antigo comandante. Colaborei desde as primeiras experiências e participei de todos os trabalhos até a conclusão. No entanto o mérito da invenção pertence totalmente a ele. O senhor já ouviu falar do nosso antigo comandante? Não? Bem, não estou falando demais quando digo que a instalação de toda a colônia penal é obra sua. Nós, amigos dele, já sabíamos, por ocasião da sua morte, que a organização dela é tão fechada em si mesma, que o seu sucessor, mesmo tendo na cabeça milhares de planos novos, não poderia mudar nada pelo menos durante muitos anos. Nossa previsão estava certa; o novo comandante teve de reconhecer isso. É uma pena que o senhor não tenha conhecido o antigo comandante! Mas — interrompeu-se o oficial — fico tagarelando e o aparelho está aqui à nossa frente. Como se vê, ele se compõe de três partes. Com o correr do tempo surgiram denominações populares para cada uma delas. A parte de baixo tem o nome de cama, a de cima de desenhador e a do meio, que oscila entre as duas, se chama rastelo.

— Rastelo? — perguntou o explorador.

Ele não tinha escutado com muita atenção, o sol forte demais se enredava no vale sem sombras, era com dificuldade que se juntavam os pensamentos. Tanto mais digno de admiração lhe parecia o oficial, que, na sua farda justa, própria para um desfile, carregada de dragonas, guarnecida de cordões, dava as explicações com tamanho fervor — além do que, enquanto falava, apertava aqui e ali um parafuso com uma chave de fenda. O soldado parecia estar num estado semelhante ao do explorador. Tinha enrolado a corrente do condenado em volta dos pulsos, apoiava-se com uma das mãos sobre o fuzil e, deixando a cabeça pender sobre a nuca, não se interessava por nada. O explorador não ficou espantado com isso, pois o oficial falava francês e certamente nem o condenado nem o soldado entendiam francês. De qualquer modo chamava ainda mais a atenção o fato de que o condenado, apesar disso, se esforçasse para seguir as explicações do oficial. Com uma espécie de pertinácia sonolenta, dirigia o olhar para onde quer que o oficial apontasse e quando este então foi interrompido pelo explorador com uma pergunta, também ele, da mesma forma que o oficial, olhou para o explorador.

— É, rastelo — disse o oficial. — O nome combina. As agulhas estão dispostas como as grades de um rastelo e o conjunto é acionado como um rastelo, embora se limite a um mesmo lugar e exija muito maior perícia. Aliás o senhor vai compreender logo. Aqui sobre a cama coloca-se o condenado. Quero no entanto primeiro descrever o aparelho e só depois fazê-lo funcionar eu mesmo. Aí o senhor poderá acompanhá-lo melhor. No desenhador há uma engrenagem muito gasta, ela range bastante quando está em movimento, nessa hora mal dá para entender o que se fala; aqui infelizmente é muito difícil obter peças de reposição. Muito bem: como eu disse, esta é a cama. Está totalmente coberta com uma camada de algodão; o senhor ainda vai saber qual é o objetivo dela. O condenado é posto de bruços sobre o algodão, naturalmente nu; aqui estão, para as mãos, aqui para os pés e aqui para o pescoço, as correias para segurá-lo firme. Aqui na cabeceira da cama, onde, como eu disse, o homem apoia primeiro a cabeça, existe este pequeno tampão de feltro, que pode ser regulado com a maior facilidade, a ponto de entrar bem na boca da pessoa. Seu objetivo é impedir que ela grite ou morda a língua. Evidentemente o homem é obrigado a admitir o feltro na boca, pois caso contrário as correias do pescoço quebram sua nuca.

— Isso é algodão? — perguntou o explorador, inclinando-se para a frente.

— Sem dúvida — respondeu sorrindo o oficial. — Sinta o senhor mesmo.

Pegou a mão do explorador e passou-a sobre a cama.

— É um algodão especialmente preparado, por isso parece tão irreconhecível; ainda volto a falar sobre a sua finalidade.

O explorador já estava um pouco conquistado pelo aparelho; protegendo-se contra o sol com a mão sobre os olhos, levantou a vista para ele. Era uma estrutura bem grande. A cama e o desenhador tinham as mesmas dimensões e pareciam duas arcas escuras. O desenhador estava disposto a cerca de dois metros sobre a cama; ambos se ligavam nas pontas por quatro barras de latão que quase emitiam raios sob o sol. Entre as arcas oscilava, preso a uma fita de aço, o rastelo.

O oficial mal tinha notado antes a indiferença do explorador, mas estava alerta para o interesse que agora aflorava; por isso suspendeu as explicações para dar ao explorador tempo para uma contemplação tranquila. O condenado imitou o explorador; já que não podia colocar a mão acima dos olhos, ficou piscando para o alto com a vista desprotegida.

— Pois bem, o homem agora está deitado — disse o explorador enquanto se recostava na cadeira e cruzava as pernas.

— Sim — disse o oficial, empurrando o quepe um pouco para trás e passando a mão pelo rosto acalorado. — Agora ouça: tanto a cama como o desenhador têm bateria elétrica própria; a cama precisa da energia para si mesma, o desenhador para o rastelo. Assim que o homem está manietado, a cama é posta em movimento. Ela vibra com sacudidas mínimas e muito rápidas simultaneamente para os lados, para cima e para baixo. O senhor deve ter visto aparelhos semelhantes em casas de saúde; a diferença é que na nossa cama todos os movimentos são calculados com precisão; de fato eles precisam estar em estrita consonância com os movimentos do rastelo. Mas é a este que se entrega a execução propriamente dita da sentença.

— E o que diz a sentença? — perguntou o explorador.

— Nem isso o senhor sabe? — retrucou com espanto o oficial, mordendo os lábios. — Perdoe-me se por acaso minhas explicações estão fora de ordem; peço-lhe muitas desculpas. Antigamente era o comandante que costumava dá-las, mas o novo furtou-se a esse dever de honra; que ele no entanto, a um visitante tão ilustre — o explorador tentou repelir a homenagem com ambas as mãos, mas o oficial insistiu na expressão —, que a um visitante tão ilustre ele não informe nem mesmo sobre a forma da sentença, é outra inovação que —

Tinha uma praga entre os lábios, mas se conteve e disse apenas:

— Não fui cientificado disso, a culpa não é minha. Seja como for, aliás, estou nas melhores condições de esclarecer nossos tipos de sentença, pois trago aqui — bateu no bolso do peito — os desenhos correspondentes, feitos à mão pelo antigo comandante.

— Desenhos feitos pelo próprio comandante? — perguntou o explorador. — Então ele reunia em si mesmo todas as coisas? Era soldado, juiz, construtor, químico, desenhista?

— Certamente — disse o oficial meneando a cabeça com o olhar fixo e pensativo.

A seguir inspecionou as mãos; elas não lhe pareceram suficientemente limpas para pegar nos desenhos; por isso foi até o balde e lavou-as outra vez. Depois tirou do bolso uma pequena carteira de couro e disse:

— Nossa sentença não soa severa. O mandamento que o condenado infringiu é escrito no seu corpo com o rastelo. No corpo deste condenado, por exemplo — o oficial apontou para o homem —, será gravado: *Honra o teu superior!*

O explorador levantou fugazmente os olhos na direção do homem; este manteve a cabeça baixa quando o oficial apontou para ele, parecendo concentrar toda a energia da audição para ficar sabendo de alguma coisa. Mas o movimento dos seus lábios protuberantes e comprimidos mostrava claramente que não conseguia entender nada. O explorador queria perguntar diversas coisas, mas à vista do homem indagou apenas:

— Ele conhece a sentença?

— Não — disse o oficial, e logo quis continuar com as suas explicações.

Mas o explorador o interrompeu:

— Ele não conhece a própria sentença?

— Não — repetiu o oficial e estacou um instante, como se exigisse do explorador uma fundamentação mais detalhada da sua pergunta; depois disse:

— Seria inútil anunciá-la. Ele vai experimentá-la na própria carne.

O explorador já estava querendo ficar quieto quando sentiu que o condenado lhe dirigia o olhar; parecia indagar se ele podia aprovar o procedimento descrito. Por isso o explorador, que já tinha se recostado, inclinou-se de novo para a frente e ainda perguntou:

— Mas ele certamente sabe que foi condenado, não?

— Também não — disse o oficial e sorriu para o explorador, como se ainda esperasse dele algumas manifestações insólitas.

— Não — disse o explorador passando a mão pela testa. — Então até agora o homem ainda não sabe como foi acolhida sua defesa?

— Ele não teve oportunidade de se defender — disse o oficial, olhando de lado como se falasse consigo mesmo e não quisesse envergonhar o explorador com o relato de coisas que lhe eram tão óbvias.

— Mas ele deve ter tido oportunidade de se defender — disse o explorador erguendo-se da cadeira.

O oficial se deu conta de que corria perigo de ser interrompido por longo tempo na explicação do aparelho; por isso caminhou até o explorador, tomou-o pelo braço, indicou com a mão o condenado, que agora se punha em posição de sentido, já que a atenção se dirigia a ele com tanta evidência — o soldado também deu um puxão na corrente —, e disse:

— As coisas se passam da seguinte maneira. Fui nomeado juiz aqui na colônia penal. Apesar da minha juventude. Pois em todas as questões penais estive lado a lado com o comandante e sou também o que melhor conhece o aparelho. O princípio segundo o qual tomo decisões é: a culpa é sempre indubitável. Outros tribunais podem não seguir esse princípio, pois são compostos por muitas cabeças e além disso se subordinam a tribunais mais altos. Aqui não acontece isso, ou pelo menos não acontecia com o antigo comandante. O novo entretanto já mostrou vontade de se intrometer no meu tribunal, mas até agora consegui rechaçá-lo — e vou continuar conseguindo. O senhor queria que eu lhe esclarecesse este caso; é tão simples como todos os outros. Hoje de manhã um capitão apresentou a denúncia de que este homem, que foi designado seu ordenança e dorme diante da sua porta, dormiu durante o serviço. Na realidade ele tem o dever de se levantar a cada hora que soa e bater continência diante da porta do capitão. Dever sem dúvida nada difícil, mas necessário, pois ele precisa ficar desperto tanto para vigiar como para servir. Na noite de ontem o capitão quis verificar se o ordenança cumpria o seu dever. Abriu a porta às duas horas e o encontrou dormindo todo encolhido. Pegou o chicote de montaria e vergastou-o no rosto. Ao invés de se levantar e pedir perdão, o homem agarrou o superior pelas pernas, sacudiu-o e disse: "Atire fora o chicote ou eu o engulo vivo!". São estes os fatos. Faz uma hora o capitão se dirigiu a mim, tomei nota das suas declarações e em seguida lavrei a sentença. Depois determinei que pusessem o homem na corrente. Tudo isso foi muito simples. Se eu tivesse primeiro intimado e depois interrogado o homem, só teria surgido confusão. Ele teria mentido, e se eu o tivesse desmentido, teria substituído essas mentiras por outras e assim por diante. Mas agora eu o agarrei e não o largo mais. Está tudo esclarecido? Mas o tempo está passando, a execução já deveria começar e ainda não acabei de explicar o aparelho.

Fez com que o explorador se sentasse na cadeira, voltou ao aparelho e começou:

— Como o senhor vê, o rastelo corresponde à forma do ser humano; este aqui é o rastelo para o tronco, estes outros os rastelos para as pernas. Para a cabeça está destinado apenas este pequeno estilete. Está claro?

Inclinou-se amavelmente em direção ao explorador, pronto para esclarecimentos mais abrangentes.

Com o cenho franzido o explorador observou o rastelo. As informações sobre o procedimento judicial não o tinham deixado satisfeito. Teve contudo de admitir a si mesmo que aqui se tratava de uma colônia penal, que aqui eram necessárias medidas excepcionais e que se precisava proceder até o limite de modo militar. Além disso depositava alguma esperança no novo comandante, que, embora devagar, pretendia evidentemente introduzir um procedimento novo que não podia entrar na cabeça limitada deste oficial. Partindo desse raciocínio o explorador perguntou:

— O comandante vai assistir à execução?

— Não é certeza — disse, dolorosamente tocado pela pergunta sem mediações, o oficial, cuja expressão amigável se descompôs. — Exatamente por isso precisamos nos apressar. Por mais que o lamente, vou ter até de abreviar minhas explicações. Mas amanhã, quando o aparelho estiver outra vez limpo — seu único defeito é ficar tão sujo —, poderia acrescentar os esclarecimentos mais pormenorizados. Agora, portanto, só o estritamente necessário. Quando o homem está deitado na cama e esta começa a vibrar, o rastelo baixa até o corpo. Ele se posiciona automaticamente de tal forma que toca o corpo apenas com as pontas; quando o contato se realiza, este cabo de força fica imediatamente rígido como uma barra. E aí começa a função. O não iniciado não nota por fora nenhuma diferença nas punições. O rastelo parece trabalhar de maneira uniforme. Vibrando, ele finca suas pontas no corpo, que além disso vibra por causa da cama. Para possibilitar que todos vistoriem a execução da sentença, o rastelo foi feito de vidro. Fixar nele as agulhas deu origem a algumas dificuldades técnicas, mas depois de muitas tentativas o objetivo foi alcançado. Não poupamos esforços para isso. E agora qualquer um pode ver através do vidro como se realiza a inscrição no corpo. O senhor não quer chegar mais perto para observar as agulhas?

O explorador ergueu-se devagar, andou até lá e se inclinou sobre o rastelo.

— O senhor está vendo dois tipos de agulhas em disposições variadas — disse o oficial. — Cada agulha comprida tem ao seu lado uma curta. A comprida é a que escreve, a curta esguicha água para lavar o sangue e manter a escrita sempre clara. A água e o sangue são depois conduzidos aqui nestas canaletas e escorrem por fim para a canaleta principal, cujo cano de escoamento leva ao fosso.

O oficial indicava com o dedo o caminho exato que a água e o sangue tinham de seguir. Quando, para tornar o quadro o mais vívido possível, o oficial literalmente ficou com as mãos em concha para recolher o fluxo na embocadura do cano de escoamento, o explorador suspendeu a cabeça e, tateando com a mão para trás, quis recuar até a sua cadeira. Viu então com horror que o condenado havia, como ele, seguido o convite do oficial para examinar de perto a disposição do rastelo. Ele tinha arrastado um pouco o soldado sonolento pela corrente e também se debruçara sobre o vidro. Via-se como buscava, com o olhar incerto, aquilo que os dois senhores tinham observado, mas não conseguia, já que lhe faltava a explicação. Inclinava-se para cá e para lá. Percorria o vidro continuamente com o olhar. O explorador quis afastá-lo, pois o que estava fazendo provavelmente era passível de punição. Mas o oficial reteve firmemente o explorador com uma mão, com a outra pegou um torrão de terra do talude e atirou-o em direção ao soldado. Este levantou os olhos num sobressalto, viu o que o condenado tinha ousado fazer, deixou o fuzil cair, fincou os tacões no chão, puxou o condenado com tanta força para trás que ele logo caiu e o fitou de cima para baixo, enquanto o condenado se contorcia fazendo as correntes rangerem.

— Ponha-o em pé! — gritou o oficial, pois notou que a atenção do explorador estava sendo desviada demais pelo condenado.

O explorador chegou a se inclinar sobre o rastelo, sem se importar com ele, interessado apenas em verificar o que acontecia com o condenado.

— Trate-o com cuidado! — gritou de novo o oficial. Deu a volta em torno do aparelho e agarrou pessoalmente pelas axilas o condenado que às vezes escorregava e com a ajuda do soldado colocou-o de pé.

— Já sei tudo agora — disse o explorador quando o oficial se dirigiu de volta a ele.

— Tudo, menos o mais importante — disse o oficial segurando o explorador pelo braço e apontando para cima. — Lá no desenhador ficam as engrenagens que comandam o movimento do rastelo; elas estão dispostas segundo o desenho que acompanha o teor da sentença. Eu ainda uso os desenhos do antigo comandante. Aqui estão eles — puxou algumas folhas da carteira de couro —, mas infelizmente não os posso pôr na sua mão, são a coisa mais preciosa que eu tenho. Sente-se, eu os mostro ao senhor desta distância, assim poderá ver tudo bem.

Mostrou a primeira folha. O explorador gostaria de dizer algo aprovador, mas enxergava apenas linhas labirínticas, que se cruzavam umas com as outras de múltiplas maneiras e cobriam o papel tão densamente que só com esforço se distinguiam os espaços em branco entre elas.

— Leia — disse o oficial.

— Não consigo — disse o explorador.

— Mas está nítido — disse o oficial.

— Muito engenhoso — disse evasivamente o explorador. — Mas não consigo decifrar nada.

— Sim — disse o oficial rindo e guardando de novo a carteira. — Não é caligrafia para escolares. É preciso estudá-la muito tempo. Sem dúvida o senhor também acabaria entendendo. Naturalmente não pode ser uma escrita simples, ela não deve matar de imediato, mas em média só num espaço de tempo de doze horas; o ponto de inflexão é calculado para a sexta hora. É preciso portanto que muitos floreios rodeiem a escrita propriamente dita; esta só cobre o corpo numa faixa estreita; o resto é destinado aos ornamentos. O senhor consegue agora apreciar o trabalho do rastelo e de todo o aparelho? Veja!

Saltou sobre a escada, girou uma engrenagem e gritou para baixo:

— Atenção, fique de lado!

Tudo entrou em movimento. Se a engrenagem não rangesse seria magnífico. Como se estivesse surpreso com a perturbação que ela provocava, o oficial a ameaçou com o punho; depois, desculpando-se, abriu os braços para o explorador e desceu apressadamente a escada, para observar o aparelho por baixo. Ainda havia alguma coisa que não estava em ordem e que só ele percebia; subiu outra vez a escada, enfiou as duas mãos no interior do desenhador; em seguida, para descer mais depressa, escorregou por uma das barras ao invés de usar a escada e, para se fazer entender no meio do barulho, gritou com o máximo de força no ouvido do explorador:

— Compreende o processo? O rastelo começa a escrever; quando o primeiro esboço de inscrição nas costas está pronto, a camada de algodão rola, fazendo o corpo virar de lado lentamente, a fim de dar mais espaço para o rastelo. Nesse ínterim as partes feridas pela escrita entram em contato com o algodão, o qual, por ser um produto de tipo especial, estanca instantaneamente o sangramento e prepara o corpo para novo aprofundamento da escrita. Então, à medida que o corpo continua a virar, os dentes na extremidade do rastelo removem o algodão das feridas, atiram-no ao fosso e o rastelo tem trabalho outra vez. Assim ele vai escrevendo cada vez mais fundo durante as doze horas. Nas primeiras seis o condenado vive praticamente como antes, apenas sofre dores. Depois de duas horas é retirado o tampão de feltro, pois o homem já não tem mais força para gritar. Aqui nesta tigela aquecida por eletricidade, na cabeceira da cama, é colocada papa de arroz quente, da qual, se tiver vontade, o homem pode comer o que consegue apanhar com a língua. Nenhum deles perde a oportunidade. Eu pelo menos não conheço nenhum, e minha experiência é grande. Só na sexta hora ele perde o prazer de comer. Nesse momento, em geral eu me ajoelho aqui e observo o fenômeno. Raramente o homem engole o último bocado, apenas o revolve na boca e o cospe no fosso. Preciso então me agachar, senão escorre no meu rosto. Mas como o condenado fica tranquilo na sexta hora! O entendimento ilumina até o mais estúpido. Começa em volta dos olhos. A partir daí se espalha. Uma visão que poderia seduzir alguém a se deitar junto embaixo do rastelo. Mais nada acontece, o homem simplesmente começa a decifrar a escrita, faz bico com a boca como se estivesse escutando. O senhor viu como não é fácil decifrar a escrita com os olhos; mas o nosso homem a decifra com os seus ferimentos. Seja como for exige muito trabalho; ele precisa de seis horas para completá-lo. Mas aí o rastelo o atravessa de lado a lado e o atira no fosso, onde cai de estalo sobre o sangue misturado à água e o algodão. A sentença está então cumprida e nós, eu e o soldado, o enterramos.

O explorador tinha inclinado o ouvido para o oficial e, as mãos no bolso da jaqueta, observava o trabalho da máquina. O condenado também olhava, mas sem entender. Curvou-se um pouco e estava seguindo o movimento das agulhas quando, a um sinal do oficial, o soldado, com uma faca, lhe cortou por trás a camisa e as calças, de tal modo que elas caíram; o condenado ainda quis segurar a roupa para cobrir a nudez, mas o soldado o levantou no ar e arrancou dele os últimos trapos. O oficial desligou a máquina e no silêncio que então se seguiu o condenado foi colocado sob o rastelo. As correntes foram soltas e no lugar delas amarradas as correias; no primeiro momento isso pareceu significar quase um alívio para o condenado. E então o rastelo baixou mais um pouco, pois o homem era magro. Quando as pontas o tocaram, um arrepio percorreu sua pele; enquanto o soldado estava ocupado com sua mão direita, ele esticou a esquerda sem saber para onde; mas era na direção de onde estava o explorador. O oficial observava de lado, continuamente, o explorador, como se quisesse ler no seu rosto a impressão que lhe causava a execução que ele havia explicado pelo menos superficialmente.

A correia que se destinava ao pulso rebentou; provavelmente o soldado a tinha esticado demais. O oficial tinha de ajudar, o soldado lhe mostrava um pedaço da correia rebentada. O oficial foi até onde ele estava e, com o rosto voltado para explorador, disse:

— A máquina é muito complexa, aqui e ali alguma

coisa tem de rebentar ou quebrar; mas não se deve por isso chegar a um falso julgamento do conjunto. Para a correia, aliás, arranja-se logo um substituto; vou usar uma corrente; com isso no entanto fica prejudicada a delicadeza da vibração para o braço direito.

E enquanto colocava a corrente, acrescentou:

— Os recursos para a manutenção da máquina agora estão muito limitados. Sob o antigo comandante eu tinha livre acesso a um fundo destinado só para isso. Havia aqui um armazém onde eram guardadas todas as peças de reposição possíveis. Confesso que desse modo eu chegava quase ao desperdício — digo antes, não agora, como afirma o novo comandante, para quem tudo serve de pretexto para combater as velhas instituições. Agora ele próprio administra o fundo para a máquina, e se eu solicito uma correia nova, é exigida a que rebentou como prova, a nova só vem em dez dias, mas é de qualidade inferior e não serve para quase nada. Mas uma coisa com que ninguém se preocupa é como nesse ínterim eu vou fazer a máquina funcionar sem correia.

O explorador pensou consigo: é sempre problemático intervir com determinação em assuntos estrangeiros. Ele não era membro da colônia penal nem cidadão do Estado a que ela pertencia. Se quisesse condenar esta execução ou mesmo tentar impedi-la, poderiam lhe dizer: você é um estrangeiro, fique quieto. A isso ele não poderia replicar nada, apenas acrescentar que não compreendia sua própria situação neste caso, pois estava viajando com o único intuito de observar e não, de forma alguma, para mudar procedimentos judiciais estrangeiros. Fosse como fosse, porém, as coisas aqui se colocavam de maneira muito tentadora. A injustiça do processo e a desumanidade da execução estavam fora de dúvida. Ninguém poderia supor qualquer benefício em causa própria por parte do observador, pois o condenado era uma pessoa estranha a ele, não era seu compatriota e não demandava nenhuma compaixão. O explorador tinha recomendações de altos funcionários, fora recebido aqui com grande cortesia e o fato de ter sido convidado para esta execução parecia até sugerir que solicitavam a sua opinião sobre este julgamento. Isso era tanto mais provável porque o comandante, conforme tinha ouvido agora da maneira mais clara, não era adepto desse procedimento e se comportava quase com hostilidade em relação ao oficial.

Nesse momento o explorador ouviu um grito de raiva do oficial. Ele tinha acabado de enfiar, não sem esforço, o tampão de feltro na boca do condenado, quando este, num acesso irresistível de náusea, fechou os olhos e vomitou. Para afastá-lo do tampão, o oficial o ergueu rapidamente, enquanto tentava virar sua cabeça para o fosso; mas era tarde demais, a sujeira já escorria pelo aparelho.

— Tudo culpa do comandante! — berrou o oficial, sacudindo, fora de si, as barras de latão da frente. — Sujam-me o aparelho como se fosse uma estrebaria.

Com as mãos trêmulas, mostrou ao explorador o que tinha acontecido.

— Não tentei horas a fio fazer o comandante entender que um dia antes da execução não se deve mais dar comida ao condenado? Mas a nova orientação, benevolente, pensa de outro modo. As senhoras do comandante entopem de doces o homem antes que ele seja conduzido para cá. Durante a vida inteira ele se alimentou de peixes fedidos e agora tem de comer doces! Seria até possível, eu não teria nada contra, mas por que não providenciam um feltro novo, como solicitei faz três meses? Como é que se pode enfiar sem nojo na boca este feltro que mais de cem homens já chuparam e morderam na hora de morrer?

O condenado tinha baixado a cabeça e parecia em paz, o soldado estava ocupado em limpar a máquina com a camisa do condenado. O oficial caminhou até o explorador, que pressentindo alguma coisa recuou um passo; mas o oficial o segurou pelo braço, puxando-o para o lado.

— Quero falar-lhe em confiança algumas coisas, o senhor me permite, não é?

— Certamente — disse o explorador, escutando com os olhos baixos.

— Tanto o procedimento como a execução que o senhor está tendo oportunidade de admirar não têm no momento mais nenhum adepto declarado em nossa colônia. Sou o seu único defensor e ao mesmo tempo o único que defende a herança do antigo comandante. Não posso mais cogitar nenhuma ampliação do processo, despendo todas as energias para preservar o que existe. Quando o antigo comandante era vivo, a colônia estava cheia de adeptos seus; tenho em parte a força de convicção dele, mas me falta inteiramente o seu poder; em vista disso os adeptos se esconderam, existem muitos ainda, mas nenhum o admite. Se o senhor for à casa de chá hoje, ou seja, num dia de execução, e ficar escutando em volta, talvez ouça apenas declarações ambíguas. São todos fiéis, mas sob o atual comandante e seus atuais pontos de vista, eles não me servem para coisa alguma. E agora eu lhe pergunto: será que por causa desse comandante e das mulheres que o influenciam deve perecer a obra de toda uma vida, como esta? — e apontou para a máquina. — Pode-se permitir uma coisa dessas, mesmo que só se esteja passando alguns dias em nossa ilha como estrangeiro? Mas não há tempo a perder, estão preparando alguma coisa contra o meu poder judicial; já se realizam reuniões de consulta no comando, para as quais não sou convocado; mesmo a visita do senhor, hoje, parece significativa da minha situação; são covardes e mandam à frente o senhor, um estrangeiro. Como era diferente a execução nos velhos tempos! Já um dia antes o vale inteiro estava superlotado de gente; todos vinham só para ver; de manhã cedo o comandante aparecia com as suas damas; as fanfarras acordavam todo o acampamento; eu fazia o anúncio de que estava tudo pronto; a sociedade — nenhum alto funcionário podia faltar — se alinhava em volta da máquina; esta pilha de cadeiras de palha é um pobre resquício daqueles tempos. A máquina, polida pouco antes, resplendia; praticamente a cada execução eu dispunha de peças novas. Diante de centenas de olhos — todos os espectadores ficavam nas pontas dos pés até aquela elevação — o condenado era posto sob o rastelo pelo próprio comandante. O que hoje um soldado raso pode fazer, era naquela época tarefa minha, presidente do tribunal, e ela me honrava. E então começava a execução! Nenhum som discrepante perturbava o trabalho da máquina. Muitos já nem olhavam mais, ficavam deitados na areia com os olhos cerrados; todos sabiam: agora se faz justiça. No silêncio só se ouviam os suspiros do condenado, abafados pelo feltro. Hoje a máquina já não consegue extrair do condenado um gemido mais forte que o feltro ainda não possa sufocar, mas antes as agulhas que escrevem borrifavam um líquido cáustico, cujo emprego não é mais permitido. Bem, então chegava a sexta hora! Era impossível atender a todos os pedidos para ficar olhando de perto. O comandante, com a visão que tinha das coisas, determinava que sobretudo as crianças deviam ser levadas em consideração; eu no entanto podia permanecer lá graças à minha profissão; muitas vezes ficava agachado no lugar com duas crianças pequenas no colo, uma à esquerda e outra à direita. Como captávamos todos a expressão de transfiguração no rosto martirizado, como banhávamos as nossas faces no brilho dessa justiça finalmente alcançada e que logo se desvanecia! Que tempos aqueles, meu camarada!

O oficial evidentemente esquecera quem estava à sua frente; tinha abraçado o explorador e posto a cabeça no seu ombro. O explorador estava profundamente embaraçado e olhava para a distância por cima do oficial. O soldado havia terminado o trabalho de limpeza na máquina e agora despejava papa de arroz de uma lata na tigela. Mal percebeu isso, o condenado, que já parecia ter se recuperado plenamente, começou a apanhar papa de arroz com a língua. O soldado o repelia sempre, pois sem dúvida a papa estava prevista para mais tarde, assim como era igualmente impróprio que o soldado enfiasse as mãos sujas na comida para comê-la na frente do condenado ávido.

O oficial se recompôs rápido.

— Eu não estava querendo emocioná-lo — disse ele. — Sei que é impossível dar hoje uma ideia do que foram aqueles tempos. Além disso a máquina ainda funciona e produz sozinha os seus efeitos. Funciona mesmo quando está a sós neste vale. E o cadáver continua no final a cair num voo inconcebivelmente suave no fosso, ainda que não se juntem em volta dele, como moscas, centenas de pessoas como antes. Antigamente tínhamos de instalar em torno do fosso um corrimão forte, retirado dali já faz muito tempo.

O explorador queria desviar do oficial o próprio rosto, olhando ao redor sem um alvo definido. O oficial julgou que ele contemplava o ermo do vale, por isso agarrou-lhe as mãos, girou em volta dele para encará-lo e perguntou:

— O senhor está vendo que vergonha?

Mas o explorador ficou em silêncio. O oficial se afastou por um instante; com as pernas apartadas, as mãos nos quadris, permaneceu quieto, olhando para o chão. Depois sorriu para o explorador, com a intenção de encorajá-lo, e disse:

— Ontem eu estava perto do senhor, quando o comandante o convidou. Ouvi o convite. Conheço o comandante. Entendi imediatamente o que pretendia com o convite. Embora o poder dele seja suficientemente grande para investir contra mim, ele ainda não ousa fazer isso, mas quer sem dúvida me expor ao julgamento de um estrangeiro ilustre como o senhor. Seus cálculos são cuidadosos; o senhor está pelo segundo dia na ilha, não conheceu o antigo comandante nem suas ideias, mantém-se preso à visão europeia das coisas, talvez seja um opositor decidido da pena de morte em geral e em particular deste tipo de execução mecânica; além disso vê como a execução se processa sem participação pública, triste, numa máquina já um tanto avariada — juntando tudo isso, não seria bem provável (assim pensa o comandante) que o senhor considerasse o meu procedimento incorreto? E se o senhor não o considera correto, não silenciará sua opinião (continuo falando do ponto de vista do comandante), uma vez que certamente confia nas suas convicções tantas vezes comprovadas. Efetivamente o senhor viu muitas peculiaridades de muitos povos e aprendeu a respeitá-las; por isso é provável que não vá se pronunciar contra este procedimento com toda a energia, como talvez em seu próprio país. Mas disso o comandante não precisa de modo algum. Basta uma palavra passageira, uma simples palavra descuidada. Ela não precisa nem corresponder às convicções do senhor, ainda que só na aparência atenda ao desejo dele. Estou certo de que ele o vai encher de perguntas com a maior astúcia. E as damas ficarão sentadas em círculo, aguçando os ouvidos; o senhor dirá talvez: "No meu país o procedimento judicial é diferente", ou "No meu país o acusado é interrogado antes da sentença", ou "No meu país o condenado tem ciência da condenação", ou "No meu país existem outras punições que não a pena de morte", ou "No meu país só houve torturas na Idade Média". Todas estas observações são tão corretas quanto lhe parecem naturais, observações inocentes que não incidem sobre o meu procedimento. Mas como o comandante irá recebê-las? Já o estou vendo, o bom comandante, pôr imediatamente de lado a cadeira e ir às pressas para o balcão, vejo as damas o imitarem, ouço a voz dele — as senhoras dizem que é uma voz de trovão — e ele então afirmar: "Um grande pesquisador do Ocidente, encarregado de examinar o procedimento judicial em todos os países, acabou de declarar que o nosso antigo procedimento é desumano. Depois do juízo de uma personalidade como essa, naturalmente não me é mais possível tolerar este procedimento. Portanto, no dia de hoje, determino etc.". O senhor quer intervir, o senhor não disse o que ele proclama, o senhor não chamou o meu procedimento de desumano, pelo contrário, de acordo com a sua percepção mais profunda, o senhor o considera o mais humano e o mais digno de todos, o senhor também admira esse maquinismo — mas é tarde demais; o senhor não consegue nem chegar ao balcão, que já está tomado pelas damas; o senhor quer se fazer notar; o senhor quer gritar; mas uma mão de mulher tapa a sua boca — e com isso eu e a obra do antigo comandante estamos perdidos.

O explorador teve de reprimir um sorriso; então era fácil assim a tarefa que ele havia considerado tão difícil. Disse evasivamente:

— O senhor superestima minha influência; o comandante leu minha carta de recomendação, ele sabe que não sou um perito em procedimento judicial. Se eu expressasse uma opinião, seria a de um cidadão particular, em nada mais importante que a opinião de qualquer outro, e seja como for muito menos importante que a do comandante, que nesta colônia, segundo acredito, tem direitos muito amplos. Se a opinião dele sobre o procedimento é tão determinada como o senhor julga, então eu temo ter chegado o fim desse procedimento sem a menor necessidade da minha modesta colaboração.

Será que o oficial já estava entendendo? Não, ele ainda não entendia. Sacudiu a cabeça com vivacidade, voltou um instante o olhar para o condenado e o soldado, que estremeceram e se afastaram do arroz, chegou bem perto do explorador, não fitou seu rosto, mas sim algum ponto da sua jaqueta e disse em voz mais baixa que antes:

— O senhor não conhece o comandante; diante dele e de todos nós o senhor — desculpe a expressão — está na posição do inocente; sua influência, acredite em mim, não pode ser estimada num nível suficientemente alto. Fiquei feliz quando ouvi que o senhor deveria assistir sozinho à execução. Essa decisão do comandante pretendia me atingir, mas agora eu a reverto em meu favor. Sem ser influenciado por falsas insinuações e olhares de desprezo — como não se poderia evitar no caso de uma participação mais ampla na execução — o senhor escutou minhas explicações, viu a máquina e agora está na iminência de assistir à execução. Certamente o seu julgamento já está firmado; se ainda houver pequenas dúvidas, elas serão eliminadas à vista da execução. E agora apresento ao senhor o seguinte pedido: ajude-me diante do comandante!

O explorador não o deixou continuar falando.

— Como poderia fazer isso? — exclamou. — É completamente impossível! Posso ajudá-lo tão pouco quanto prejudicá-lo.

— O senhor pode — disse o oficial.

O explorador viu com um certo receio que o oficial cerrava os punhos.

— O senhor pode — repetiu o oficial com mais insistência. — Tenho um plano que tem de dar certo. O senhor julga que sua influência é insuficiente. Eu sei que ela é suficiente. Mas mesmo admitindo que o senhor tenha razão, não é preciso tentar até o inexequível para conservar este procedimento? Ouça portanto o meu plano. Para realizá-lo é necessário sobretudo que o senhor se mantenha hoje na colônia o mais reservado possível sobre o procedimento. Se não for diretamente perguntado, não deve de modo algum se pronunciar; mas suas declarações precisam ser breves e indefinidas; as pessoas devem perceber que lhe é difícil falar sobre esse assunto, que o senhor está amargurado, que caso devesse falar abertamente irromperia em claras imprecações. Eu não exijo que o senhor deva mentir; de maneira alguma; o senhor deve apenas responder secamente, como por exemplo: "Sim, eu vi a execução", ou "Sim, escutei todas as explicações". Só isso, nada mais. Para a acrimônia que se deve notar no senhor existe motivo suficiente, mesmo que não seja da perspectiva do comandante. Naturalmente ele irá entender tudo errado e interpretar segundo o ponto de vista dele. É nisso que se baseia meu plano. Amanhã se realiza na sede do comando, sob a presidência do comandante, uma grande reunião de todos os altos funcionários da administração. Evidentemente o comandante conseguiu fazer um espetáculo dessas reuniões. Foi construída uma galeria, que está sempre lotada de espectadores. Eu sou obrigado a participar das deliberações, embora a repulsa me faça estremecer. Bem, de qualquer modo o senhor será sem dúvida convidado para a reunião; se se comportar hoje de acordo com o meu plano, o convite se tornará um pedido premente. Mas se por algum motivo incompreensível o senhor não for convidado, então precisa exigir de qualquer maneira o convite; não há dúvida de que nesse caso irá recebê-lo. Amanhã, portanto, estará sentado com as damas no camarote do comandante. Com frequentes olhares para cima ele se assegura de que o senhor está lá. Depois de diversos temas de discussão sem importância, ridículos — na maioria das vezes são construções portuárias, sempre as construções portuárias! —, chega a vez do procedimento judicial. Se por iniciativa do comandante isso não acontecer, ou não acontecer logo, então eu me encarrego de fazer com que aconteça. Levanto-me e faço o anúncio da execução de hoje. Muito breve, apenas o anúncio. Na verdade não é uma coisa usual lá, mas assim mesmo eu o faço. O comandante me agradece, como sempre com um sorriso amigável, e aí, sem poder se conter, ele aproveita a oportunidade. "Acaba de ser feito o anúncio da execução" — dirá isso ou algo semelhante. "Gostaria apenas de acrescentar ao anúncio que precisamente a essa execução esteve presente o grande pesquisador cuja visita tão honrosa à nossa colônia é do conhecimento de todos. Nossa reunião de hoje também tem sua importância realçada por essa presença. Não vamos, pois, dirigir a esse grande pesquisador a pergunta sobre como julga a execução segundo o costume antigo e o procedimento que a antecede?" Naturalmente aplausos de todos os lados, assentimento geral, eu sou o mais ruidoso. O comandante se inclina à sua frente e diz: "Neste caso eu coloco a pergunta em nome de todos". E então o senhor vai até o parapeito. Coloque as mãos num lugar visível para todos, senão as damas as agarram e brincam com os seus dedos. Ouve-se agora por fim a sua própria palavra. Não sei como vou suportar a tensão das horas até esse instante. No seu discurso o senhor não precisa se impor nenhuma barreira, faça alarde da verdade, vergue o corpo sobre o parapeito, berre, berre sim, berre ao comandante a sua opinião, a sua inabalável opinião. Mas talvez o senhor não queira isso, não condiz com o seu caráter, talvez no seu país as pessoas se comportem de outra maneira nessas situações; também isso está certo, também isso basta, nem ao menos se levante, diga apenas algumas palavras, sussurre-as de modo que só os funcionários embaixo do senhor as ouçam, não precisa absolutamente falar da escassa participação pública na execução, da engrenagem que range, da correia rebentada, do feltro repugnante, não, eu assumo pessoalmente todo o resto, e acredite:

se o meu discurso não fizer o comandante sair da sala, ele vai obrigá-lo a se pôr de joelhos até confessar: antigo comandante, eu me dobro diante de você. É este o meu plano; o senhor quer me ajudar a executá-lo? Mas é claro que quer, mais que isso, o senhor precisa me ajudar.

E o oficial segurou pelos dois braços o explorador, olhando-o no rosto com a respiração ofegante. As últimas frases ele as tinha gritado tanto que até o soldado e o condenado ficaram prestando atenção; embora não pudessem entender nada, pararam de comer e, mastigando, ergueram o olhar na direção do explorador.

Para o explorador estava desde o início fora de dúvida a resposta que precisava dar; na sua vida havia experimentado muitas coisas para que pudesse vacilar aqui; era um homem basicamente honrado e não tinha medo. Apesar disso hesitou um instante à vista do homem e do soldado. Mas finalmente disse o que tinha de dizer:

— Não.

O oficial piscou várias vezes, mas não desviou o olhar dele.

— O senhor quer uma explicação? — perguntou o explorador.

O oficial assentiu em silêncio.

— Sou contra este procedimento — disse então o explorador. — Antes mesmo que o senhor tivesse falado comigo em confiança — naturalmente não vou em circunstância alguma abusar dessa confiança — eu já havia refletido se estaria no direito de intervir contra este procedimento e se a minha intervenção poderia ter a menor perspectiva de êxito. Estava claro para mim, nesse caso, a quem eu teria de me dirigir em primeiro lugar: ao comandante, evidentemente. O senhor tornou isso mais claro ainda, mas sem ter porventura consolidado a minha decisão; pelo contrário: sua honesta convicção me toca, embora ela também não possa me confundir.

O oficial permaneceu mudo; voltou-se para a máquina, segurou uma das barras de latão e depois, um pouco inclinado para trás, ergueu os olhos para o desenhador, como que verificando se estava tudo em ordem. O soldado e o condenado pareciam ter feito amizade um com o outro; por mais difícil que isso fosse, em virtude das fortes cadeias, o condenado fazia sinais ao soldado; o soldado se inclinava para ele; o condenado sussurrava-lhe alguma coisa e o soldado concordava com a cabeça.

O explorador foi atrás do oficial e disse:

— O senhor ainda não sabe o que eu quero fazer. Vou de fato comunicar ao comandante o meu ponto de vista sobre o procedimento, mas não em uma reunião, e sim a sós; também não devo ficar aqui tanto tempo para assistir a alguma reunião; amanhã cedo eu já parto ou pelo menos embarco num navio.

Não parecia que o oficial tivesse ouvido.

— Então o procedimento não o convenceu — disse para si mesmo e sorriu como um velho sorri da insensatez de uma criança e conserva atrás do sorriso seu verdadeiro pensamento.

— Portanto chegou a hora — disse por fim e de repente dirigiu ao explorador um olhar iluminado que continha alguma exortação, algum incitamento no sentido de participar.

— Hora do quê? — perguntou inquieto o explorador, mas sem receber resposta.

— Você está livre — disse o oficial ao condenado na sua língua.

Este a princípio não acreditou.

— Livre, você está livre — disse o oficial.

Pela primeira vez o rosto do condenado adquiriu realmente vida. Era verdade? Era apenas um capricho passageiro do oficial? O explorador estrangeiro tinha obtido dele clemência? O que estava acontecendo? Assim parecia perguntar o seu rosto. Mas não por muito tempo. Fosse o que fosse, ele queria, se tinha permissão para tanto, estar realmente livre, e por isso começou a se sacudir, na medida em que o rastelo o admitia.

— Você me rebenta as correias — gritou o oficial.

— Fique quieto. Nós já vamos desatá-las.

E se pôs a trabalhar com o soldado, a quem fizera um sinal. O condenado ria sozinho, mansamente, sem dizer uma palavra, voltando o rosto ora à esquerda, para o oficial, ora à direita, para o soldado; também não esqueceu o explorador.

— Puxe-o para fora — ordenou o oficial ao soldado.

Aqui foi preciso ter algum cuidado em vista do rastelo. O condenado já tinha alguns pequenos rasgos nas costas por causa da sua impaciência.

Mas a partir daí o oficial não se preocupou mais com ele. Caminhou até o explorador, tirou do bolso outra vez a pequena carteira de couro, folheou-a, encontrou por fim a folha que estava procurando e mostrou-a.

— Leia — disse.

— Não consigo — disse o explorador. — Já falei que não consigo ler essas folhas.

— Olhe com atenção — disse o oficial e se pôs ao lado do explorador para ler com ele.

Mas quando isso também não deu resultado, o oficial seguiu as linhas com o dedo mínimo, a uma altura bem distante do papel, como se não pudesse de forma alguma tocar a folha, para desse modo facilitar a leitura ao explorador. Este fez um esforço para pelo menos nisto ser agradável ao oficial, mas não lhe foi possível. O oficial começou então a soletrar a inscrição e depois a leu no conjunto.

— *Seja justo*, é o que consta aqui. Agora o senhor certamente consegue ler.

O explorador se inclinava tanto sobre o papel que o oficial o colocou mais à distância com medo do contato; o explorador na verdade não disse mais nada, mas era evidente que continuava não conseguindo ler.

— *Seja justo*, é o que consta aqui — disse outra vez o oficial.

— Pode ser — disse o explorador. — Acredito que sim.

— Muito bem — disse o oficial, pelo menos em parte satisfeito, e subiu na escada com a folha.

Depositou-a com muito cuidado no desenhador e pareceu modificar completamente a disposição das engrenagens; era um trabalho muito minucioso, devia se tratar de engrenagens bem pequenas, às vezes a cabeça do oficial desaparecia inteiramente no desenhador, tanta era a exatidão com que precisava examinar o mecanismo.

Embaixo o explorador acompanhava sem interrupção esse trabalho, seu pescoço endurecia e os olhos lhe doíam por causa do céu devassado de sol. O soldado e o condenado só se ocupavam um do outro. A camisa e as calças do condenado, que jaziam no fosso, foram pescadas pelo soldado com a ponta da baioneta. A camisa estava pavorosamente suja e o condenado a lavou no balde de água. Quando depois vestiu a camisa e a calça, o soldado e o condenado tiveram de rir alto, pois as peças de vestuário estavam cortadas pelo meio na parte de baixo. Talvez o condenado se julgasse na obrigação de divertir o soldado; com a roupa rasgada girava em círculo diante do soldado, que agachado no chão ria batendo nos joelhos. Os dois entretanto ainda se continham por consideração com a presença dos senhores.

Quando o oficial finalmente terminou o trabalho lá em cima, abarcou mais uma vez com o olhar sorridente todas as partes do conjunto, fechou desta feita a tampa do desenhador, que até aí tinha ficado aberta, desceu a escada, olhou para o fosso e em seguida para o condenado, percebeu com satisfação que este havia retirado de lá as suas roupas, caminhou então até o balde de água para lavar as mãos, reconheceu tarde demais a sujeira horrorosa, ficou triste por agora não poder lavar as mãos, finalmente as mergulhou na areia — essa alternativa não o satisfazia, mas tinha de se sujeitar a ela —, depois ficou em pé e começou a desabotoar a túnica do seu uniforme. Ao fazer isso caíram-lhe às mãos, logo em primeiro lugar, os dois lenços que tinha enfiado atrás da gola.

— Aqui estão os seus lenços — disse, atirando-os na direção do condenado.

E para o explorador, como forma de explicação, afirmou:

— Presente das damas.

Apesar da pressa evidente com que tirou a túnica e depois se despiu por completo, tratou com muito cuidado cada peça do uniforme, chegando mesmo a correr os dedos sobre o cordão de prata da túnica, sacudindo uma borla até endireitá-la. De qualquer forma condizia pouco com esse esmero o fato de que, assim que acabava de cuidar de uma peça, ele a atirasse imediatamente no fosso com um empurrão irritado. A última coisa que lhe restava era o espadim com o cinturão. Tirou o espadim da bainha, quebrou-o, depois juntou tudo, os pedaços do espadim, a bainha e o cinturão, e os lançou fora com tanta violência que eles ressoaram uns contra os outros no fundo do fosso.

Agora estava ali, nu. O explorador mordeu os lábios e não disse nada. Sabia na verdade o que ia acontecer, mas não tinha o direito de impedir o oficial em nada. Se o procedimento judicial de que o oficial era adepto estava de fato tão próximo da supressão — possivelmente em consequência da intervenção do explorador, com a qual este por seu lado se sentia comprometido —, então o oficial estava agora agindo de um modo inteiramente correto; se estivesse no seu lugar não teria se conduzido de outra maneira.

O soldado e o condenado a princípio não entenderam nada, no começo nem mesmo ficaram olhando. O condenado estava contente por ter recebido de volta os lenços, mas não pôde se alegrar com eles por muito tempo, pois o soldado os arrebatou com um golpe de mão rápido e imprevisto. Tentava agora reavê-los do soldado, que os havia guardado por trás do cinturão, mas o soldado estava atento. Desse modo disputavam, meio brincando. Só quando o oficial ficou completamente nu eles prestaram atenção. Principalmente o condenado parecia assaltado pelo pressentimento de uma grande reviravolta. O que tinha acontecido com ele agora acontecia com o oficial. Talvez isso chegasse às últimas consequências. Provavelmente o explorador estrangeiro tinha dado ordens nesse sentido. Era portanto uma vingança. Sem ter sofrido até o fim, seria vingado até o fim. Apareceu então no seu rosto um sorriso amplo e silencioso que não desapareceu mais.

O oficial porém havia se voltado para a máquina. Se antes já era manifesto que entendia bem do aparelho, agora chegava quase a causar espanto como sabia manipulá-lo e como ele lhe obedecia. Tinha apenas aproximado a mão do rastelo e este subiu e baixou várias vezes até alcançar a posição certa para o receber; bastou ele tocar a borda da cama para ela imediatamente começar a vibrar; o feltro veio ao encontro da sua boca, via-se que o oficial na verdade não queria aceitá-lo, mas a hesitação só durou um instante, ele se submeteu logo e o acolheu na boca. Estava tudo pronto, só as correias ainda pendiam dos lados, mas elas eram evidentemente desnecessárias, o oficial não precisava ser amarrado. Aí o condenado notou as correias soltas, na sua opinião a execução não seria completa se as correias não estivessem apertadas, fez um sinal exasperado para o soldado e os dois correram para atar o oficial. Este já tinha esticado um pé para empurrar a manivela que devia pôr o desenhador em movimento; viu então que os dois tinham chegado; por isso recuou o pé e se deixou amarrar. De qualquer modo agora não podia mais alcançar a manivela; nem o soldado nem o condenado iriam encontrá-la e o explorador estava decidido a não se mexer. Não foi necessário: mal tinham sido ajustadas as correias a máquina começou a trabalhar; a cama vibrava, as agulhas dançavam sobre a pele, o rastelo oscilava para cima e para baixo. O explorador já havia fixado o olhar durante algum tempo quando se lembrou de que uma engrenagem no desenhador deveria ranger; mas estava tudo silencioso, não se ouvia o mínimo zumbido.

Com esse trabalho silencioso a máquina literalmente se subtraiu à atenção. O explorador olhou para o soldado e o condenado. O condenado era o mais animado, tudo na máquina o interessava, ora ele se abaixava, ora espichava o corpo, o indicador continuamente esticado para mostrar alguma coisa ao soldado. Para o explorador isso era penoso. Estava decidido a ficar ali até o fim, mas não iria aturar por muito tempo a visão dos dois.

— Vão para casa — disse ele.

Talvez o soldado estivesse disposto a isso, mas o condenado recebeu a ordem como um castigo. De mãos juntas, implorou que o deixasse ali e quando o explorador, sacudindo a cabeça, não quis ceder, ele até se ajoelhou. O explorador viu que aqui as ordens não valiam nada e pensou em expulsar os dois à força. Mas nesse momento escutou um ruído no desenhador lá em cima. Ergueu os olhos. Será que aquela engrenagem ainda funcionava mal? Era no entanto outra coisa. A tampa do desenhador se levantou devagar e depois se abriu completamente. Os dentes de uma engrenagem ficaram à mostra e subiram, logo apareceu a engrenagem inteira, como se uma grande força pressionasse o desenhador, de tal modo que não sobrasse mais espaço para essa engrenagem; ela foi girando até a beira do desenhador, caiu, rolou um trecho em pé na areia e depois ficou deitada. Mas lá em cima já emergia outra, outras se seguiram, muitas, grandes, pequenas, mal discerníveis entre si, e com todas sucedeu a mesma coisa, sempre era possível pensar que agora o desenhador já estava de algum modo esvaziado, mas aí surgia um novo grupo, particularmente numeroso, emergia, desabava, rolava na areia e se deitava. Diante desse processo o condenado esqueceu por completo a ordem do explorador, as engrenagens literalmente o fascinavam, estava sempre querendo agarrar uma, ao mesmo tempo conclamava o soldado a ajudá-lo, mas retirava a mão com medo, pois logo aparecia outra engrenagem, que pelo menos enquanto começava a rodar o assustava.

O explorador, ao contrário, estava muito inquieto; obviamente a máquina estava se destroçando; seu andamento tranquilo era um engano; ele tinha o sentimento de que agora precisava se ocupar do oficial, já que este não podia mais cuidar de si mesmo. Mas enquanto a queda das engrenagens exigira toda a sua atenção, ele havia deixado de observar o resto da máquina; entretanto, depois que a última engrenagem tinha saído do desenhador, ele se inclinou sobre o rastelo e teve uma nova surpresa, ainda pior. O rastelo não estava escrevendo, só dava estocadas, e a cama não rolava o corpo, apenas o levantava vibrando de encontro às agulhas. O explorador queria intervir, se possível fazendo o conjunto parar, já não era mais uma tortura, como pretendia o oficial, e sim assassinato direto. Ele estendeu as mãos. Mas o rastelo já se erguia para o lado com o corpo espetado, como só fazia na décima segunda hora. O sangue fluía em centenas de fios (não misturado com água, pois desta vez os caninhos de água também falharam). E então deixou de funcionar a última coisa: o corpo não se soltava das agulhas longas, seu sangue escorria, mas ele pendia sobre o fosso sem cair. O rastelo queria voltar à posição antiga, mas como se percebesse por si mesmo que ainda não estava livre da sua carga, permanecia sobre o fosso.

— Ajudem aqui! — gritou o explorador para o soldado e o condenado, segurando ele próprio os pés do oficial.

Queria fazer pressão deste lado sobre os pés, do outro os dois homens deveriam pegar a cabeça do oficial e assim o corpo seria aos poucos retirado das agulhas. Mas os dois não conseguiam se decidir; o condenado literalmente virou as costas; o explorador teve de ir até eles e pressioná-los com violência para o lugar onde estava a cabeça do oficial. Nesse ato viu quase contra a vontade o rosto do cadáver. Estava como tinha sido em vida; não se descobria nele nenhum sinal da prometida redenção; o que todos os outros haviam encontrado na máquina, o oficial não encontrou; os lábios se comprimiam com força, os olhos abertos tinham uma expressão de vida, o olhar era calmo e convicto, pela testa passava atravessada a ponta do grande estilete de ferro.

Quando o explorador, seguido pelo soldado e pelo condenado, chegou às primeiras casas da colônia, o soldado apontou para uma delas e disse:

— Esta é a casa de chá.

Havia no térreo um espaço mais baixo, profundo, como se fosse uma cova, de paredes e teto impregnados de fumaça. Ele se abria em toda a sua extensão para a rua. Embora a casa de chá se distinguisse pouco das demais casas da colônia, que estavam muito deterioradas até onde começavam as construções do palácio do comando, ela causou no explorador a impressão de uma recordação histórica e ele sentiu a força dos velhos tempos. Aproximou-se mais e, à frente dos seus acompanhantes, passou pelo meio das mesas desocupadas que se achavam na rua diante da casa de chá, aspirando o ar frio e pesado que vinha do interior.

— O velho está enterrado aqui — disse o soldado. — O clero negou para ele um lugar no cemitério. Durante algum tempo não se sabia onde enterrá-lo, até que finalmente o enterraram aqui. Decerto o oficial não contou nada disso ao senhor, pois naturalmente era a coisa que mais o envergonhava. Tentou até desenterrar algumas vezes o velho à noite, mas foi sempre repelido.

— Onde está o túmulo? — perguntou o explorador, que não podia acreditar no soldado.

Imediatamente tanto o soldado como o condenado passaram à frente do explorador, apontando com as mãos estendidas para o lugar onde devia estar o túmulo. Levaram-no até a parede dos fundos, onde estavam sentados alguns fregueses. Eram provavelmente estivadores, homens fortes de barbas cheias, negras e luzidias. Estavam todos sem casaco, as camisas esfarrapadas, gente pobre e humilde. Quando o explorador se aproximou, alguns se levantaram, ficaram de encontro à parede e olharam para ele.

— É um estrangeiro — sussurrou-se em volta do explorador. — Ele quer visitar o túmulo.

Empurraram uma das mesas, sob a qual se encontrava de fato uma lápide. Era uma pedra simples, suficientemente baixa para poder ficar escondida debaixo de uma mesa. Tinha uma inscrição com letras muito miúdas. Para poder lê-las o explorador precisou se ajoelhar. Dizia o seguinte: "Aqui jaz o antigo comandante. Seus adeptos, que agora não podem dizer o nome, cavaram-lhe o túmulo e assentaram a lápide. Existe uma profecia segundo a qual o comandante, depois de determinado número de anos, ressuscitará e chefiará seus adeptos para a reconquista da colônia. Acreditai e esperai!".

Quando o explorador terminou de ler e se levantou, viu em torno os homens sentados e sorrindo, como se tivessem lido com ele a inscrição, achando que ela era ridícula e o convidassem a ser da mesma opinião. O explorador agiu como se não o notasse, distribuiu entre eles algumas moedas, ainda esperou que a mesa fosse empurrada sobre o túmulo, deixou a casa de chá e se dirigiu ao porto.

O soldado e o condenado tinham encontrado na casa de chá alguns conhecidos que os retiveram. Mas devem ter se livrado logo deles, pois o explorador ainda estava no meio da longa escada que dava para os barcos quando os dois vieram correndo atrás. Provavelmente queriam forçar no último instante o explorador a levá-los consigo. Enquanto o explorador negociava com um barqueiro a travessia até o navio a vapor, os dois desceram a escada a toda pressa, sem dizer nada, pois não ousavam gritar. Mas quando chegaram embaixo, o explorador já estava no barco e o barqueiro acabava de soltá-lo da margem. Ainda teriam podido saltar dentro da embarcação, mas o explorador ergueu do fundo do barco uma pesada amarra, ameaçou-os com ela e desse modo impediu que eles saltassem.

POSFÁCIO

DUAS NOVELAS DE PRIMEIRA

Modesto Carone

Entre as poucas e magras obras publicadas em vida por Franz Kafka, *O veredicto* e *Na colônia penal* ocupam posições estratégicas. A primeira porque assinala o momento exato em que Kafka descobre sua fórmula pessoal de imaginar e compor ficção; a segunda porque torna transparentes os sinais de transição do conflito pai-filho, característico das primeiras peças, para o choque mais amplo e mais geral que o anti-herói kafkiano trava com o mundo administrado. O ponto culminante da primeira fase é a novela *A metamorfose*, com a qual *O veredicto* apresenta inúmeros pontos de contato; as manifestações mais elaboradas da segunda são os romances *O processo* e *O castelo*.

O roteiro dessas relações fica menos sumário quando se recordam os vínculos históricos entre os primeiros escritos kafkianos. Assim é que, em 1916, Kafka concebeu o plano de reunir, num volume de novelas intitulado *Filhos*, *O veredicto*, *A metamorfose* e um fragmento chamado *O foguista* (capítulo inicial do romance *O desaparecido*). A unidade temática do livro estava assegurada pelo próprio título, uma vez que os personagens centrais dos três "relatos de família" vivem conflitos semelhantes, que se agravam do primeiro para o último: Karl Rossmann (herói de *O foguista*) com o pai-protetor, Georg Bendemann com o pai-tribunal e Gregor com o poder destrutivo do Pai Samsa. Por outro lado, a designação de "novelas", dada às três histórias, favorecia a unificação formal do volume, pois no contexto literário alemão, sobretudo a partir de Goethe, a novela sempre foi considerada um gênero distinto das outras modalidades narrativas, caracterizando-se por um tipo especial de ação em que, através da descrição realista, o desfecho, desencadeado por uma virada repentina, se consuma com a necessidade interna de um drama teatral.

De qualquer modo o plano de publicação da coletânea *Filhos* falhou, e Kafka não parece ter ficado muito desapontado com isso, porque logo em seguida propôs ao seu editor, Kurt Wolff — o mais importante do expressionismo literário alemão —, um segundo livro de novelas, desta vez ominosamente intitulado *Punições*. O volume — que como *Filhos* também não chegou a se concretizar — previa a reunião de *O veredicto*, *A metamorfose* e *Na colônia penal*, pondo de lado portanto o texto de *O foguista*. Numa carta que escreveu a Wolff ainda no ano de 1916, o escritor insistiu na ordem das "punições" por ele proposta, já que na sua opinião *A metamorfose* desempenhava o papel de mediador, sem o qual a justaposição direta de *O veredicto* e *Na colônia penal* equivalia a fazer "duas cabeças baterem com violência uma contra a outra".

Embora essa cautela dê margem à suposição de

que *O veredicto* e *Na colônia penal* apresentem mais incompatibilidades do que propriamente convergências, o fato é que Kafka percebia uma "ligação secreta" (as palavras são suas) entre as duas novelas — sem dizer que ambas são, do seu ponto de vista, complementares em relação à *Metamorfose*. Segundo alguns estudiosos, as três grandes narrativas mostram uma progressão temática cujos saltos podem ser cobertos não só pelo título *Punições*, como também pela posição que a figura do pai ocupa na sequência imaginada por Kafka. Com efeito, o pai aparece isolado em *O veredicto*, apoiado pela família em *A metamorfose* e distribuído por dois sistemas concorrentes em *Na colônia penal*. O ponto intermediário entre a primeira e a última, representado por *A metamorfose*, marca a transição do que ainda é pessoal para o que vai deixar de sê-lo, fenômeno que um crítico descreveu como "burocratização da figura paterna". Seria essa, na realidade, a reta de chegada para a trama de *O processo* (escrito no mesmo ano de *Na colônia penal*),uma vez que neste a função de culpar, condenar e proceder à execução do herói se transfere das mãos do patriarca para uma instância anônima — o Tribunal.

Mas esta discussão ultrapassa os propósitos de um posfácio. É preciso referir antes em que circunstâncias foram compostas e publicadas as duas novelas reunidas neste volume.

O veredicto foi escrito de um só fôlego, na noite de 22 para 23 de setembro de 1912, das dez da noite às seis da manhã, quando Kafka tinha 29 anos de idade. O rompante foi tão memorável na carreira do escritor que ele, em geral muito reservado sobre suas proezas literárias, se sentiu motivado não só a registrá-lo, como também a avançar algumas interpretações pessoais do texto (que considerava mais um "poema" que uma "narrativa"), seja nos seus diários, seja em cartas a Felice Bauer, a quem dedicou a novela. Tinha conhecido Felice poucos dias antes na casa do seu amigo Max Brod, em Praga, e não tardou muito em propor-lhe o primeiro noivado. Numa das cartas enviadas à musa recente, ele revela que as iniciais do nome dela (F.B.) coincidiam com as de Frieda Brandenfeld, noiva do personagem Georg Bendemann, em quem por sinal também via uma projeção pessoal.

Entusiasmado com *O veredicto* (que inaugura a série das obras-primas kafkianas), o escritor leu o texto para as irmãs ainda no dia 23 de setembro. Contra os seus hábitos de intelectual recatado, deveria repetir a leitura em voz alta várias vezes, inclusive perante o público numa noite de autores realizada no Hotel Stephan da capital tcheca.

A novela estava desde o início reservada para o anuário de literatura *Arkadia*, dirigido por Max Brod e editado em Leipzig por Kurt Wolff. A publicação saiu com grande atraso e *O veredicto* só veio à luz em maio de 1913. Foi editado outra vez em outubro de 1917 no volume 34 da famosa coleção expressionista *O juízo final* e teve uma segunda edição ainda em vida do escritor no ano de 1920. Durante muito tempo Kafka considerou o processo de criação desta novela como um ideal de trabalho artístico. "Só assim se pode escrever — afirma ele nos *Diários* —, só num contexto como este, com uma abertura tão completa do corpo e da alma."

Na colônia penal foi redigida, segundo alguns especialistas, entre os dias 15 e 18 de outubro de 1914, segundo outros entre 4 e 18 desse mesmo mês e ano. Seja como for, o escritor estava em férias nessa época, considerada uma das mais produtivas da sua vida. Tinha rompido poucos meses antes o primeiro noivado com Felice Bauer e estava tentando se reaproximar dela através da amiga Grete Bloch, a quem, numa de suas cartas, faz uma pergunta inusitada, que parece prefigurar o clima da novela: "Você não tem desejos de reforçar ao máximo o que é doloroso?". Era como se para ele as relações com objetos, acontecimentos e pessoas só fossem visíveis nos hieroglifos da dor e do medo. São também desse período anotações sombrias dos *Diários*, em que aparecem fantasias de castigos com aparelhos de tortura, nos quais o autor se autoexecuta. Vale ainda a pena lembrar que nesse mesmo ano estourou a Primeira Guerra Mundial.

Entre os estudiosos, no entanto, há um consenso no sentido de que a fonte primeira desta "história suja" (a expressão é do próprio Kafka) foi uma obra pornográfica sádico-anarquista — *Le Jardin des Supplices* (1899), de Octave Mirbeau — que Kafka provavelmente leu numa tradução alemã de 1901, de difícil acesso na época por causa da censura. Tanto os temas como os motivos do livro devem ter fascinado Kafka, pois nele havia material mais que suficiente para a sua necessidade de construir imagens de tormento autoinfligido como reflexo de condições socioculturais mais abrangentes. Assim é que, numa carta de 1916, remetida ao seu editor, afirma o seguinte sobre *Na colônia penal*: "Como esclarecimento desta narrativa acrescento apenas que não só ela é penosa, mas que o nosso tempo em geral e o meu em particular também o são". Aliás, numas de suas cartas a Felice ele afirma, à maneira de Flaubert: "Eu sou minhas histórias".

Em dezembro de 1914, o escritor leu a novela para os amigos; dois anos depois, a convite de Max Brod, fez uma leitura pública dela na Galeria Goltz, de Munique, na presença, entre outros, de Felice e, ao que parece, do poeta Rainer Maria Rilke. Em 1917, Kurt Wolff propôs sua inserção na série *O juízo final*, mas o autor rejeitou a oferta, alegando que as últimas páginas da história estavam mal resolvidas. O editor alemão voltou à carga em outubro de 1918, pois admirava tanto o texto a ponto de pretender lançá-lo numa edição de luxo. Dessa vez Kafka concordou e *Na colônia penal* foi publicada, com modificações no final, em maio de 1919, numa tiragem de mil exemplares.

Sabe-se que o impacto artístico da prosa kafkiana deriva em grande parte do choque entre a notação quase naturalista do detalhe e o conjunto da fantasmagoria narrada, momento em que esta adquire aos olhos do leitor a credibilidade do real. Evidentemente na base desse fenômeno está a mão ordenadora de um ficcionista convencido de que a consistência do acontecimento só se manifesta na expressão verbal, da qual ele não duvida: "Não sou da opinião de que nos falte força para exprimir plenamente aquilo que queremos dizer ou escrever. O sentimento infinito permanece tão infinito nas palavras como o era no coração".

A tirada é do Kafka jovem, mas também poderia ser de Flaubert. Isso explica que ao longo dos anos tenha elaborado um estilo cada vez mais objetivo, onde a menor palavra pode assumir o máximo de significado. Segundo alguns estudiosos, o conformismo aparente da linguagem de Kafka — que levou Hermann Hesse a dizer que ele escrevia um alemão exemplar — é o instrumento através do qual a mínima peculiaridade ganha peso. Nesse sentido não é exagero afirmar que o Kafka-prosador procede como um poeta, pois nas suas próprias palavras "a forma e o conteúdo da frase coincidem com precisão". O paradoxo aparece quando se constata que na ficção kafkiana a ordem formal observada na expressão linguística serve de mediação para uma angustiante desordem interna, o que envolve uma crítica concreta aos métodos tradicionais de narrar e de ler. A essa dificuldade pode ser acrescida a circunstância de que o narrador kafkiano em momento algum oferece ajuda ao leitor, limitando-se a atirá-lo com indiferença e sem aviso prévio no mundo indevassável das suas figuras.

Diante disso é relativamente simples imaginar que a tarefa do tradutor pode ser mais árdua do que faz supor o conservadorismo (irônico) de uma escrita como a sua, propositalmente despida de qualquer foguetório. Na verdade nela se cruzam dois tipos fundamentais de frase: um que se baseia em reflexões e nessa medida se alonga em busca de um objetivo às vezes incerto e outro, em geral curto, que constata e descreve os dados da percepção sem perder tempo com digressões. A clareza do enunciado é comum aos dois tipos, mas isso não implica que o leitor chegue a alguma espécie de entendimento espontâneo. Pois a verdade é que as histórias de Kafka não são explicações, mas imagens. Sem dúvida é a partir desse *claro enigma* que se acendem as polêmicas em torno do escritor; o tradutor, por seu lado, seduzido pela precisão implacável do texto, fica à procura do *mot juste* kafka-flaubertiano capaz de dar conta, na sua língua, das artimanhas do original. O recurso, no caso, é acompanhar de perto os meandros de uma linguagem que esconde o leite, conservando no texto traduzido não só os movimentos e as proporções básicas da narrativa, como também o timbre de uma fala que, segundo o próprio Kafka, vai da boca para o ouvido antes que o escritor lhe dê crédito e a ponha no papel.

Vistas as coisas no conjunto, parece justificado o esforço empreendido de carrear para o português uma espécie de oralidade empertigada (embora sem rebuscamento), passível de acolher o laconismo das frases descritivas e a sinuosidade das reflexões veiculadas em discurso direto, indireto e indireto livre — sem esquecer, é claro, todos aqueles expletivos que em Kafka cumprem a função do supérfluo indispensável. Se o resultado às vezes dá a impressão de uma língua um pouco fora dos eixos, então a tradução deve ter alcançado o seu objetivo: diante do limiar imposto pela intimidade profunda objetivada em outra língua, o máximo que o tradutor pode tentar conseguir é implantar o seu próprio texto em algum lugar situado entre as duas literaturas, de tal modo que ele não seja nem estranho nem ao mesmo tempo familiar para o leitor a que se destina.

Os textos-base usados neste trabalho foram as *Narrativas completas* (*Sämtliche Erzählungen*), de 1970, e *As narrativas/Versão original* (*Die Erzählungen/Originalfassung*), de 1996, ambos da editora Fischer.

Marilene Carone colaborou na tradução publicada em 1986. Esta nova edição, que contou com a ajuda de Lygia Maria de França Pereira, é dedicada à sua memória.

SOBRE O AUTOR

Franz Kafka nasceu em 3 de julho de 1883 na cidade de Praga, Boêmia (hoje República Tcheca), então pertencente ao Império Austro-Húngaro. Era o filho mais velho de Hermann Kafka, comerciante judeu, e de sua esposa Julie, nascida Löwy. Fez os seus estudos naquela capital, primeiro no ginásio alemão, mais tarde na velha universidade, onde se formou em Direito em 1906. Trabalhou como advogado, a princípio na companhia particular Assicurazioni Generali e depois no semiestatal Instituto de Seguros contra Acidentes do Trabalho. Duas vezes noivo da mesma mulher, Felice Bauer, não se casou — nem com ela, nem com outras mulheres que marcaram a sua vida, como Milena Jesenská, Julie Wohryzek e Dora Diamant. Em 1917, aos 34 anos de idade, sofreu a primeira hemoptise de uma tuberculose que iria matá-lo sete anos mais tarde. Alternando temporadas em sanatórios com o trabalho burocrático, nunca deixou de escrever ("Tudo o que não é literatura me aborrece"), embora tenha publicado pouco e, já no fim da vida, pedido ao amigo Max Brod que queimasse os seus escritos — no que evidentemente não foi atendido. Viveu praticamente a vida inteira em Praga, exceção feita ao período final (novembro de 1923 a março de 1924), passado em Berlim, onde ficou longe da presença esmagadora do pai, que não reconhecia a legitimidade da sua carreira de escritor. A maior parte de sua obra — contos, novelas, romances, cartas e diários, todos escritos em alemão — foi publicada postumamente. Falecido no sanatório de Kierling, perto de Viena, Áustria, no dia 3 de junho de 1924, um mês antes de completar 41 anos de idade, Franz Kafka está enterrado no cemitério judaico de Praga. Quase desconhecido em vida, o autor de *O processo*, *O castelo*, *A metamorfose* e outras obras-primas da prosa universal, é considerado hoje — ao lado de Proust e Joyce — um dos maiores escritores do século.

M.C.

SOBRE O TRADUTOR

Modesto Carone nasceu em 1937 na cidade de Sorocaba, interior paulista. Escritor e ensaísta, lecionou literatura nas universidades de Viena, São Paulo e Campinas. Publicou ensaios, contos — reunidos em *Por trás dos vidros* — e a novela *Resumo de Ana*. Suas traduções de Kafka, a partir do original alemão, foram iniciadas em 1983. Incluem: *Um artista da fome/ A construção*, *A metamorfose*, *O veredicto/ Na colônia penal*, *Carta ao pai*, *O processo* (Prêmio Jabuti de Tradução de 1989), *Um médico rural*, *Contemplação/ O foguista*, *O castelo* e *Narrativas do espólio*, todos pela Companhia das Letras. Recebeu o prêmio APCA 2009 de melhor livro de ensaio/crítica por *Lição de Kafka*. Faleceu em 2019.

1ª EDIÇÃO [1998] 13 reimpressões

ESTA OBRA FOI COMPOSTA PELO GRUPO DE CRIAÇÃO EM GARAMOND
BOOK, TEVE SEUS FILMES GERADOS NO BUREAU 34 E FOI IMPRESSA
PELA GRÁFICA BARTIRA EM OFSETE SOBRE PAPEL PÓLEN BOLD
DA SUZANO S.A. PARA A EDITORA SCHWARCZ EM JUNHO DE 2020

A marca FSC® é a garantia de que a madeira utilizada na fabricação do papel deste livro provém de florestas que foram gerenciadas de maneira ambientalmente correta, socialmente justa e economicamente viável, além de outras fontes de origem controlada.